TIMBOEKTOE RULES!

Carry Slee

Timboektoe rules!

Pimento

Lees ook de andere delen over Timboektoe:
See you in Timboektoe
100% Timboektoe

Eerste druk, september 2005
Tweede druk, oktober 2005
Derde druk, november 2005
Vierde druk, december 2005

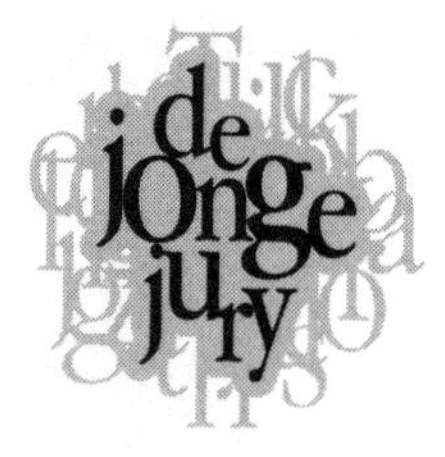

www.carryslee.nl

Omslagontwerp Marlies Visser
Foto voorzijde omslag Daly & Newton / Getty Images
Auteursfoto achterzijde omslag Hester Doove
Typografie en zetwerk ZetSpiegel, Best

ISBN 90 499 2059 4
NUR 284

Carry Slee is een imprint van Pimento BV,
onderdeel van Foreign Media Group

1

Kars loopt fluitend over de camping.

'Ha die pa!' roept hij vrolijk als zijn vader uit de auto stapt. 'Heb je het eiland al gezien? Het zit propvol jongeren. Dat had je niet durven hopen, hè, zeg eerlijk. En dat komt door ons barbecuefeest. Het is ons toch maar gelukt om van dit gat iets te maken. Onze camping wordt een hit, man. Wedden?'

'Ja, eh, heel fijn,' zegt Ad en hij wil doorlopen.

'Nou nou, wat zijn we weer enthousiast,' moppert Kars.

'Laat je vader maar,' zegt oma.

'Welja, neem het maar weer voor hem op. Wat heb je toch, man? Moet je aan de Viagra?'

Oma kijkt Ad aan. 'Ik zou het je zoon maar vertellen.'

Ad neemt Kars mee naar het kantoortje.

'Het zit niet bepaald mee,' zegt hij.

Kars kijkt naar zijn vader en dan schrikt hij. Zijn vader heeft niet zomaar een pestbui. Er is echt iets.

'We krijgen concurrentie,' vertelt Ad. 'Een kilometer of acht hiervandaan ligt toch die hele grote villa?'

'Met dat enorme stuk land eromheen?' vraagt Kars.

'Ja,' zegt Ad. 'Daar komt ook een camping. Paradiso gaat hij heten. Hoe ze daar toestemming voor gekregen hebben weet ik niet maar over een paar dagen gaan ze al open.'

'Zeker een of andere ouwelullencamping. Daar hoeven wij toch niet bang voor te zijn?'

'Was het maar waar. Nee jongen, we hebben echt een probleem. Die eigenaar schijnt nogal rijk te zijn. Het is een Nederlander die veel geld heeft verdiend. Snelle handel, je begrijpt het wel, en die miljoentjes investeert hij nu in de camping. Ze kunnen zich van alles veroorloven. Een golfbaan, en een zwembad.'

Ad gaat zitten en slaat zijn handen voor zijn gezicht. 'Wie had dat nou gedacht?'

Langzaam dringt het tot Kars door wat het bericht van zijn vader betekent. Hun camping, het eiland, de discotheek, alles waar ze zo blij mee zijn raken ze misschien kwijt...

'Denk je... Denk je dat we failliet gaan?' vraagt Kars.

'Daar moeten we nog maar niet aan denken.'

'Dus wel.' Hoe moet Kars dit aan zijn vrienden vertellen? Ze zijn allemaal naar Frankrijk gekomen om de camping op te bouwen. Keihard hebben ze gewerkt. Timboektoe is van hen allemaal.

'Wist je dat niet van tevoren?' vraagt Kars.

'Nee, als we dit hadden geweten, hadden we de camping nooit gekocht.'

'Dat is dus duidelijk. We gaan het niet redden.' Kars voelt zich machteloos. Hij heeft zin om het hele kantoor kort en klein te slaan.

'Vertel het nog maar niet aan de anderen,' zegt Ad.

Nu wordt Kars kwaad. 'Wat denk jij nou? Natuurlijk moeten ze dit weten. Zoiets kan ik toch niet verzwijgen? We gaan eraan, pa. Over een jaar bestaat Timboektoe niet meer. Misschien is het deze zomer al afgelopen. Dat moeten ze toch weten? Shit!' Kars loopt het kantoor uit en slaat de deur keihard achter zich dicht.

'Hé broertje!' roept Isa. 'We gaan met zijn allen zwemmen.'

'Nou eh, veel plezier dan,' zegt Kars.

'Je gaat toch wel mee?' Annabel slaat een arm om Kars heen. Ze wil hem een kus geven, maar Kars rukt zich los. 'Hou op met dat kleffe gedoe.'

Isa komt voor haar vriendin op. 'Doe even gewoon. Ik dacht dat je zo verliefd was.'

Kars schrikt er zelf ook van. Hij doet nooit zo tegen Annabel.

'Sorry,' zegt hij. 'Ik heb een pestbui. Ik kom net van pa. Hij had een rotbericht.'

'Nou en,' zegt Romeo. 'Iedereen heeft wel eens een domper. Zolang Timboektoe swingt, kan ons niks gebeuren.'

'Het gaat juist over Timboektoe,' zegt Kars.

'Vertel nou maar wat er is,' dringt Isa aan.

'We krijgen concurrentie,' zegt Kars. 'Een eindje verderop zijn ze ook een camping begonnen.'

'Geintje,' zegt Stef.

'Ja,' lacht Romeo. 'En daar moeten wij in trappen?'

'Het is echt waar,' zegt Kars. 'Kijk dan naar mijn vader, man. Hij is helemaal kapot.'

Ze zien aan Kars dat het geen grapje is en dan schrikken ze.

'Nee, hè,' zegt Romeo. 'Je gaat toch niet zeggen dat Timboektoe eraan gaat? Dat ga je nu niet zeggen, hè? Niet nadat we ons hier de halve zomer rot hebben gewerkt.'

'Wel dus,' zegt Edgar als Kars geen antwoord geeft. Hij kijkt naar CU, hun discotheek die ze zelf hebben opgebouwd. 'Afbreken maar weer zeker.'

'Hallo,' zegt Isa. 'Ik wil eerst wel even horen wat dat voor camping is.'

'Een of andere rijke gast begint hier vlakbij een camping,' zegt Kars. 'Je weet wel, waar die grote villa staat. Hij heeft zelfs al een naam: Paradiso.'

'Wat heeft die camping allemaal?' vraagt Isa.

'Alles. Het wordt een vijfsterrencamping, met een zwembad, daar zijn wij niks bij.'

'Dat wordt dus de ondergang van Timboektoe,' zegt Stef. 'Zo'n camping die poen zat heeft, daar kunnen wij niet tegenop.'

'Wat zijn jullie nou slap,' vindt Edgar. 'Hebben jullie geen ballen meer? Dat laten we toch niet gebeuren? We zullen iets moeten bedenken wat zij niet hebben. We geven het toch niet zomaar op?'

'Daar ben ik het helemaal mee eens,' zegt Romeo. 'Wij hebben hier een toplocatie. We zitten wel aan de rivier, hoor.'

'Zij ook,' zucht Kars.

'Ik ben het met Romeo eens,' zegt Edgar. 'Wij zitten hier wel aan het snelst stromende gedeelte. Daar moeten we iets mee doen.'

'Yes!' roept Romeo. 'Ik krijg weer eens een geniale ingeving, jongens. Wat denken jullie van de super wateractiviteit Hydrospeed?'

'Dat is fantastisch, man,' zegt Stef. 'Moet je je voorstellen: dan lig je lekker op een bodyboard in het water en dan spuit je de rivier af. Dat is een echte trekker. Dat kan hier nergens. Met Hydrospeed halen we ze binnen.'

'Wat denk je dat die bodyboards kosten?' vraagt Isa. 'En dan hebben we ook helmen nodig en neopreenpakken.'

'Dat betaalt je pa dan maar,' zegt Stef. 'Dat geld krijgt hij er heus wel uit.'

'Mijn pa gaat nu echt niet investeren,' zegt Kars. 'Nee, daar hoef ik niet mee aan te komen.'

'Dan verdienen we het zelf wel bij elkaar,' zegt Romeo. 'We beginnen gewoon een handeltje.'

'Het eiland!' roept Edgar. 'We maken er een bar, met muziek en zo. Dat gaat lopen, ik weet het zeker.'

'Gaaf! Ons eiland moet een hit worden. We geven het een naam.'

'Love Island,' zegt Romeo. 'Wat denken jullie daarvan?'

'Great!' roepen ze in koor. 'Love Island. Zo'n naam kan alleen onze grote versierder bedenken.'

'Ik weet niet of we dit erdoor krijgen,' zegt Kars. 'Het wordt een heel project. Als we muziek willen, hebben we wel stroom nodig. Niet alleen voor de muziek, maar wat dacht je van de drank, die moet toch koel staan?'

'Daar kan pa ons bij helpen,' zegt Isa. 'En vergeet onze activiteitenbegeleider niet.'

'Kylian is ingezet bij de kleintjes,' zegt Kars. 'Die moet speurtochten uitzetten en kinderen schminken.'

'Onzin,' zegt Stef. 'Hij kan ons best een dagje helpen, dan schmink ik ze wel een keer.'

'Jij?' Romeo begint te lachen. 'Dan kunnen we beter Hanna vragen.'

'Alsof ze daar tijd voor heeft,' zegt Isa. 'Mijn moeder is dag en nacht op stap voor de promotie van Timboektoe.'

'Als Timboektoe eraan gaat, hoeft je moeder helemaal geen pr meer te doen,' zegt Stef.

'Wie gaat dit aan pa voorstellen?' vraagt Isa.

'Ik natuurlijk,' zegt Kars. 'Mannen onder elkaar, hè, dat praat veel makkelijker.'

Vol spanning kijken ze naar Kars als hij uit het kantoortje van zijn vader komt.

'En?'

'Het mag niet. Pa gelooft er niet in.'

'Dus hij heeft liever dat Timboektoe op de fles gaat,' zegt Stef.

De jongens worden kwaad. 'Hij wordt bedankt. Hebben we ons daarvoor al die weken zo uitgesloofd? Nou hebben we een kans om het te redden en die laat hij gewoon lopen.'

Isa is ook kwaad. 'Pa is echt gek geworden.'

'Nou, ik denk dat wij alvast onze treinreis naar huis kunnen boeken,' zegt Stef. 'Dat wordt niks meer hier.'

'Balen zeg!' Somber staren ze voor zich uit.

'Geintje!' roept Kars 'Het mag wel.'

'Wat! Jij durft wel, hè?' Ze willen Kars grijpen, maar hij holt hard weg.

2

De volgende dag wordt er meteen begonnen. Ze hebben geluk dat Ad net een aantal bomen heeft gekapt. Met een afgeladen vlot vaart Romeo naar het eiland. Hout, gereedschap, een stapel barkrukken, van alles heeft hij bij zich. Terwijl hij tussen de zwemmers door vaart, kijkt hij trots naar het strandje dat propvol jongeren ligt. En dat komt allemaal dankzij hun barbecuefeest.

Als Romeo aanlegt, komen Nona en Isa naar hem toe.

'Weet je hoeveel boys er op ons eiland zijn?' vraagt Nona.

Romeo kijkt rond. 'Mij interesseert het meer hoeveel meiden er zijn. Veertig?'

'Vijfenveertig,' zegt Isa. 'We hebben ze geteld. En het worden er nog veel meer!'

'Is dit hout voor de bar?' vraagt Isa.

'Nee, dit is voor de vlonder. Eerst gaan we de vlonder leggen en daarop komt de bar te staan. Dat hout ga ik zo halen.'

'Wat heb je daar nou allemaal?' Isa wijst op de barkrukken die met de poten omhoog staan.

'Dat zijn mijn oom en tante met hun kinderen, nou goed. Die staan graag op hun kop. Aanpakken!' En Romeo duwt een paar barkrukken in haar handen.

'Zijn Kars en Justin al terug?' vraagt Isa.

'Niet dat ik weet.'

Nona tilt de gereedschapskist van het vlot. 'Het is wel te hopen dat ze een koelkast vinden. Warme cola is vies, hoor.'

'Is Brian ook met ze mee?' vraagt Isa.

'Hé, daar zeg je iets.' Romeo kijkt haar aan. 'Ik heb Brian nog niet gezien.'

'Waar zou die nou weer uithangen?' zegt Isa.

'In zijn grot natuurlijk. Waar anders?'

'Ik weet het niet, hij is zo stil de laatste week. Eigenlijk sinds onze party.'

'Volgens mij is er ook iets met hem,' zegt Nona. 'Maar ik weet niet wat.'

'Hè ja, echt weer meidengedoe. Maak er maar weer een story van. Die jongen wil gewoon op zichzelf zijn. Kijk naar mij, ik ben ook graag alleen.'

Nu moeten ze lachen. Romeo is nooit één seconde op zichzelf.

'Ik haal de planken.' Op het moment dat Romeo de motor aantrekt, springt er een groep jongens en meiden het water in. Ze gaan aan het vlot hangen en laten zich voortslepen.

Romeo heeft gelijk. Wie Brian zoekt, kan hem bijna altijd in hun geheime grot vinden. Als iedereen nog ligt te slapen, is hij meestal allang op pad. Daarom is het zo vreemd dat hij nu nog in zijn tent ligt. Het is al over elven.

Brian ziet de laatste dagen overal tegenop. Een paar weken geleden heeft hij een heel bijzondere tekening in de grot ontdekt. Wat was hij gelukkig! Dagen heeft hij in het archief doorgebracht om te achterhalen hoe oud de muurschildering was. Ooit een bijzondere ontdekking doen, dat was zijn droom! Hij zou de archeoloog erbij halen, maar zelfs daar heeft hij geen zin in. Hij ligt op zijn luchtbed voor zich uit te staren als hij opschrikt van voetstappen. Door een kier van de tent ziet hij Edgar. Zijn broer komt hem halen. Zeker om mee te helpen met Love Island.

'Waar is Brian?' hoort hij zijn broer vragen.

'Die ligt nog in zijn tent,' zegt zijn moeder.

'Wat moet hij nou de hele ochtend in zijn tent? We hebben het hartstikke druk. Het Love Island moet zo snel mogelijk klaar zijn. Wat is het toch een asociaal. Hij doet de laatste tijd wel vreemd, hoor.'

'Dat zou jij toch moeten snappen. Zie je dan niks aan hem? Hij is zo dromerig. Als je iets aan hem vraagt, hoort hij je niet eens. Zo ken ik onze Brian helemaal niet. Ik denk dat hij verliefd is.'

'Nou, echt vrolijk, zeg. Zo romantisch is het blijkbaar niet, anders zat hij niet in zijn eentje in zijn tent.'

'Misschien komt de liefde van één kant. Maar dat geeft niks. Ik ben zo blij voor hem dat het hem eindelijk eens overkomt. Laat hem nou maar, ik stuur hem straks wel naar jullie toe.'

Brian schrikt. Hoe kan het dat zijn moeder altijd alles aan hem ziet? Hij is inderdaad verliefd, maar het is niet wat ze denkt. Hij is niet verliefd op een meisje, hij is verliefd op Jules. Toen hij er achter kwam dat hij verliefd was op zijn beste vriend schrok hij zich dood. Al jaren vraagt hij zich af wat er met hem is. Zijn vrienden hebben het altijd over zoenen met meiden, maar hij heeft er nooit zin in. Hij begreep niks van zichzelf, maar nu weet hij wat er met hem aan de hand is. Op de barbecueparty zag hij Kylian en Ewoud zoenen. Hij dacht aan Jules en... toen wist hij ineens: ik ben verliefd op hem. Hij kon er gewoon niet meer omheen. De eerste nachten schoot hij telkens overeind. Ik ben een homo, dacht hij dan en dan raakte hij in paniek. Dat is nu tenminste over. Maar hij is er nog wel van in de war. Hij zal Jules uit zijn hoofd moeten zetten. Jules heeft verkering met Nona. Het ergste is nog dat hij ineens niet meer normaal tegen zijn vriend kan doen. Gisteren kwam Jules vragen of hij mee ging zwemmen. In plaats van dat hij enthousiast opsprong, begon hij maar wat te bazelen over hoofdpijn. Jules zal wel hebben gedacht dat hij gek was geworden. Hij schaamt zich dood. Wat een afgang! Zo'n misser kan hij niet nog eens maken, daarom is hij vandaag in zijn tent gebleven. Maar hij kan zich niet de hele dag voor Jules verstoppen.

Brian wacht tot Edgar weg is en dan komt hij zijn tent uit.

'Kom jij eens hier,' zegt zijn moeder als hij buiten is. 'Het geeft helemaal niks als je verliefd bent op een meisje en zij niet op jou. Dat maakt iedereen wel eens mee.'

'Waar heb je het over? Hoepel op met je gezeur.' Brian loopt kwaad weg. Hij schrikt er zelf van. Zo doet hij nooit tegen zijn moeder.

'Hé Brian, hierheen!' roept Kars zodra hij hem ziet. 'We hebben een tweedehands koelkast gescoord. Hij moet naar het vlot, maar dat kreng is loodzwaar. Help me even.'

'Dit is de laatste pluk hout,' zegt Stef en hij geeft Annabel een paar planken aan. Stef kent Annabel al heel lang, want ze is de beste vriendin van Isa. Als hij bij Kars thuis kwam waren Isa en Annabel er vaak ook. Hij vond haar best een lekker ding. Romeo ook. Op weg naar Timboektoe hebben ze in de trein nog ruziegemaakt over wie haar zou krijgen. Mooi dat ze er alle twee naast zitten. Ze gaat met Kars.

'Moet je die stapel zien,' lacht Annabel als ze weer bij de steiger zijn. 'Is dat voor een bar? Het lijkt wel voor een flat.'

'Eén flat?' lacht Stef. 'Met dat hout kun je het hele eiland volbouwen.'

'Daar heb je die blonde meid,' zegt Annabel. 'Ik weet zeker dat zij verkering met Romeo krijgt.'

'O, jij kunt dus de liefde voorspellen. Ik wist niet dat je paranormaal begaafd was,' plaagt Stef.

'Ik kan echt de liefde voorspellen, vraag maar aan Isa. Bij ons in de klas weet ik het altijd. En van Isa en Justin wist ik het ook.'

'En van mij dan?' Ineens is Stef geïnteresseerd.

'Dat gaat niet zomaar, je moet me aankijken.'

Stef legt de planken neer. Annabel kijkt in zijn ogen.

'En? Krijg ik verkering?'

'Ja, ik zie haar al helemaal voor me.'

'Echt waar? Vertel op, hoe ziet ze eruit?'

'Ze heeft een stekelkoppie.'

'Hmmm... Kort haar dus, daar val ik wel op. En wil ze met me zoenen? De laatste tijd heb ik steeds meiden die een jaar verkering willen voor ik iets mag.'

Annabel kijkt in Stefs ogen. 'Ja, ze wil met je zoenen.'

'Ja, hoor, fok mij maar lekker op. Ze woont zeker aan de andere kant van de wereld.'

'Ze staat vlak achter je,' fluistert Annabel.

'Wat?' Stef wil zich omdraaien, maar Annabel waarschuwt hem. 'Niet meteen omkijken, dat moet je heel langzaam doen.'

Stef draait zijn hoofd heel langzaam om. En dan ziet hij... een cactus.

'Nou, is ze niet lief?' lacht Annabel.

'Jou krijg ik nog wel.' Stef wil Annabel grijpen, maar ze holt hard weg. Stef gaat achter haar aan. Annabel rent naar het vlot, dat aan komt varen.

'Romeo, red me!' Ze springt op het vlot. Maar Stef ook. Hij grijpt Annabel en houdt haar in zijn armen boven het water.

'Niet doen!' smeekt Annabel. 'Het was maar een grapje. Je krijgt écht een heel leuke meid.'

'Wie dan? Nou?' Stef houdt haar nog steeds boven het water.
'Romeo, help me!' roept Annabel.
'Wat is dit allemaal?' vraagt Romeo.
'Ze zegt dat ze de liefde kan voorspellen,' zegt Stef.
'Dat komt goed uit,' zegt Romeo. 'Dat komt heel goed uit.'
'Hoe bedoel je?'
'Ons Love Island. Voor één euro voorspel jij wie met wie verkering krijgt.'
'Ja!' roept Annabel. 'Dat is echt iets voor mij.'
'Dan bouwen we een waarzeggershutje voor je,' zegt Romeo.
'Hout genoeg,' lacht Stef.
'Mag ik dan nu los?' vraagt Annabel.
'Ja, mevrouw de waarzegster, u mag los.' En Annabel plonst met kleren en al in het water.

3

De Timboektoe-crew is al dagen hard aan het werk op het eiland. Vandaag helpt Brian ook mee. Jules is er toch niet, die is de hele dag op stap met Kylian. Ze moeten van alles kopen om elektriciteit aan te leggen. Grondkabels, een aardlekschakelaar en een zekeringenautomaat. Jules weet precies hoe alles heet, hij woont in Frankrijk in een dorpje vlak bij de camping. Jules kwam al op de camping toen Pierre, de vorige eigenaar, er nog was. Hij deed altijd klusjes voor hem. Hij vond het vreselijk dat Pierre de camping verkocht. Dan ben ik mijn baantje kwijt, dacht hij. Maar het klikte meteen tussen Jules en de anderen, daarom hoort hij nu bij de crew. Hij logeert zelfs met zijn hond Frodo op de camping.

'Zo,' zegt Kylian als ze het eiland op komen. 'We hebben alles.'

'Dat is snel!' Kars kijkt verbaasd op. 'Ik dacht dat jullie de hele dag nodig zouden hebben.'

'Dat komt door onze tolk,' zegt Kylian.

Jules spreekt namelijk ook goed Nederlands. Zijn moeder was Nederlandse.

Jules is blij dat ze alles hebben gevonden wat ze nodig hebben, want hij moet op bezoek bij zijn vader. Brian zucht opgelucht als Jules ervandoor gaat. Maar een paar uur later komt hij alweer de camping op rijden. Frodo rent blaffend naast hem.

'Ja, je mag zo naar het eiland,' zegt Jules tegen zijn hond en hij zet zijn fiets neer. Maar Frodo is al weg. Jules zet zijn fiets op slot als oma naar hem toe komt. 'Hoe was het met je vader?'

Jules slaat zijn ogen neer. Hij slikt een paar keer. Toen hij de kliniek uit kwam, moest hij huilen. Het is ook zo naar.

'Hij wil er almaar uit,' zegt Jules. 'Het is zo zielig om hem zo te zien.'

'Hè jochie, wat verdrietig nou. Maar het is echt het beste voor hem. Zo kon het toch ook niet doorgaan?'

Dat weet Jules ook wel. Het was verschrikkelijk om zijn vader telkens dronken aan te treffen. Dit is zijn enige kans om er vanaf te komen.

'Ik ga naar het eiland,' zegt Jules. 'Er moet nog heel wat gebeuren.' Hij kijkt naar Isa en Justin, die een eindje verderop met elkaar aan het zoenen zijn. De laatste dagen kijkt hij steeds naar ze, maar nu weet hij ineens waarom. Hij heeft verkering met Nona, maar dat ziet er heel anders uit. Isa en Justin zijn echt helemaal verliefd. Nu hij erover nadenkt, heeft hij dat gevoel al een tijd niet meer. In het begin was het er wel. Hij schrikt er zelf van. Hoelang is dat al zo? Het komt door de problemen met zijn vader dat hij er niet eerder aan heeft gedacht. Nona is hartstikke lief voor hem. Ze gaat vaak mee naar zijn vader en als hij verdrietig is troost ze hem. In het begin was hij nog wel verliefd op haar. Zo erg dat hij er zelf helemaal gek van werd. Eigenlijk was dat alleen toen zo. Dat klopt toch niet? Is hij nog wel verliefd op Nona? Ineens heeft hij niet meer zo'n zin om naar het eiland te gaan. Met tegenzin loopt hij naar het vlot.

Brian komt net aanlopen. Hij schrikt als hij Jules ziet.

Kars staat al op het vlot. 'Opstappen,' roept hij tegen Brian. 'Ik ga vertrekken.'

Brian moet er niet aan denken om samen met Jules naar de overkant te varen. Wat moet hij zeggen? Hij weet zeker dat hij de ene misser na de andere maakt.

'Ik... Ik ga niet mee met het vlot,' zegt hij. 'Ik wou me alleen even afmelden. Ik, eh... Ik heb een afspraak.'

'We hebben nu geen tijd voor afspraakjes,' plaagt Kars.

'Nee, ik heb een afspraak met de archeoloog,' verzint Brian gauw.

'Dat is belangrijk,' zegt Kars. 'Neem onze tolk maar mee.'

Nee, hè? denkt Brian. Hoe redt hij zich hier nou weer uit?

'Wauw!' zegt Jules. 'Ik heb promotie gemaakt. Eerst mocht ik alleen mee voor een boodschapje. Dit is pas echt interessant.'

Hij wijst naar Frodo, die naar de overkant zwemt. 'Hij mag het museum niet binnen. Ik laat hem bij jullie, oké?'

'Ik hou hem wel in de gaten. Succes jullie!' Kars steekt zijn duim op en vaart weg.

Brian wordt rood. Waarom heeft hij gelogen? Nou staat hij voor paal.

'Ja, eh, de archeoloog wist niet zeker of hij tijd had,' zegt hij. 'Misschien is hij er wel helemaal niet. Je kunt nog mee met het vlot.'

'Nee,' zegt Jules. 'Ik ben vandaag je tolk. We moeten precies weten wat de archeoloog te zeggen heeft.' En hij geeft Brian een klap op zijn schouder.

Brian fietst naast Jules naar het dorp. Hij kan zich wel voor zijn kop slaan. Zo meteen krijgen ze in het museum te horen dat de archeoloog al weken met vakantie is. Dan gaat hij wel af met zijn zogenaamde afspraak. Hij hoopt dat het gesloten is, maar als ze aan komen rijden, lopen er toeristen naar buiten.

'Had je hier een afspraak met hem?' vraagt Jules.

'Ja, eh, als ik het goed heb begrepen.' Brian gooit het er gauw op dat zijn Frans niet zo best is.

'Daarvoor heb je nu je tolk bij je.' Jules staat al in de deuropening. Samen gaan ze het museum in. Brian kijkt naar een man met een baard die de trap op loopt. Hij werkt in het museum en heeft Brian ooit voorgesteld aan de archeoloog. 'Monsieur!' En hij loopt naar hem toe.

'Laat mij maar.' Jules vraagt waar ze de archeoloog kunnen vinden en legt uit dat ze een afspraak hebben.

'Wat zei hij?' vraagt Brian als de man wegloopt. Het ging zo snel dat hij het niet kon volgen.

'Neem jij voortaan nou maar je tolk mee,' zegt Jules, 'want je hebt er echt niks van begrepen. Je hebt geen afspraak. De archeoloog is met vakantie. Over een week komt hij terug.'

'Dus we zijn hier voor niks,' zegt Brian.

'Nee,' zegt Jules. 'We hebben geluk. Er is een stagiair aanwezig. Volgens die man weet hij al best veel.'

Een paar minuten later komt er een man naar beneden. Is dat een stagiair? Hij lijkt wel dertig. Maar dat kan ook komen doordat hij een pak aanheeft.

Hij stelt zich aan de jongens voor. 'Jean Paul.'

In gebrekkig Frans vertelt Brian over de muurschildering in de grot. Eerst begrijpt Jean Paul er niet veel van. Daarom neemt Jules het gesprek over. Hij legt precies uit hoe de muurschildering er uitziet en uit welke tijd die volgens Brian is.

'Zoiets bijzonders hebt u nog niet gezien.' Jules weet de stagiair wel enthousiast te maken.

Yes! denkt Brian als de man zijn agenda uit zijn zak haalt om een afspraak te maken. Jean Paul bladert in zijn agenda. Hij schudt zijn hoofd. 'De komende weken ben ik helaas bezet.'

Jules herhaalt nog eens hoe bijzonder het is.

'Weet je wat?' zegt Jean Paul. 'Je hebt me wel heel erg nieuwsgierig gemaakt. Laat ik maar meteen met jullie meegaan.'

Dit had Brian nooit durven hopen. Een paar minuten later

zitten ze bij Jean Paul in de auto. Jules zit voorin en wijst de weg. Hij lijkt wel nog trotser dan Brian. 'Brian heeft de muurschildering ontdekt,' zegt hij steeds. 'Hij heeft er echt verstand van, anders hadden we u nooit durven vragen. Maar mijn vriend wil ook archeoloog worden.'

'Rijden we niet verkeerd?' vraagt Jean Paul als ze vlak bij de grot zijn. 'Ik zie nergens een weg.'

'Verderop moet u parkeren,' zegt Jules. 'Verder kunnen we niet.'

Jean Paul kijkt naar de braamstruiken en de rotsen die erachter liggen. 'Moeten we hierdoorheen?'

'Ja,' zegt Jules. 'En het wordt nog veel erger. Als u in de grot wilt komen, moet u op uw buik naar binnen kruipen.'

'Voor de wetenschap heb ik alles over,' zegt Jean Paul en hij loopt met de jongens door de doornen mee naar de grot.

'Hier is het,' zegt Brian. 'We moeten door dit gat.'

'Ja,' zegt Jules. 'Het is een echte survivaltocht, maar dan heb je ook wat.'

Jules gaat op zijn buik liggen en kruipt naar binnen. Brian kijkt naar Jean Paul. Hij hoopt maar dat die niet van gedachten verandert, maar hij trekt zijn colbertje al uit.

'Mijn overhemd kan gewassen worden,' zegt hij. 'Als dat vies wordt, is het niet erg.'

Als Jean Paul naar binnen tijgert, schijnt Brian hem bij.

Hij is er, denkt hij als Jean Paul na een poosje overeind komt, nou kan er niks meer misgaan. Brian kruipt ook de grot in en gaat met de zaklamp vooroplopen.

Even blijft Jean Paul staan. 'Wat hoor ik?'

'Vleermuizen,' zegt Jules.

Nog een paar meter en dan zijn ze er. Brian zucht. Misschien krijgt hij zo wel te horen dat hij een heel bijzondere ontdekking heeft gedaan. Het mooiste voorbeeld van prehistorische kunst dat ooit in Frankrijk is gevonden. Misschien wordt hij wel beroemd. Wat zullen zijn vrienden trots op hem zijn. Dan maakt het hun niet meer uit dat hij homo is.

Jules vindt het net zo spannend. Hij stoot Brian aan. 'Nu ben je nog onbekend, maar straks niet meer.'

Als ze vlakbij zijn, voelt Brian de spanning. Hij schijnt met de zaklamp op de muur. Zijn hand trilt.

'Dit is 'm,' zegt Jules.

Vol spanning kijken ze naar de archeoloog. Hij loopt naar de muurschildering en blijft staan. Terwijl hij hem bekijkt, plukt hij voortdurend aan zijn baard. Het duurt een paar seconden, maar voor de jongens lijkt het een eeuw. Waarom zegt hij nou niks?

'Zie je wel dat het heel bijzonder is,' fluistert Jules. 'Die gast is sprakeloos. Hij heeft vast nog nooit zoiets bijzonders gezien.'

'En?' vragen ze als Jean Paul zich omdraait.

'Ik moet jullie teleurstellen. Die muurschildering is vrij recent. Waarschijnlijk heeft een creatieve toerist zich hier uitgeleefd. Het is niet onverdienstelijk, moet ik zeggen. De man heeft zeker talent. Hij zou op Montmartre in Parijs hoge ogen gooien, maar met de oudheid heeft dit niets te maken.'

Brian en Jules kunnen het niet geloven.

'Dus... Dus het is niets bijzonders?'

'Nee,' zegt de man. 'Kijk maar naar de kleuren. Die zijn veel te helder. Doorgaans verbleken de kleuren door de eeuwen heen.'

'Maar ik heb een foto van zo'n soort muurschildering in het archief gevonden,' zegt Brian. 'Het kan niet zomaar verzonnen zijn.'

'De schilder heeft waarschijnlijk dezelfde foto bekeken,' zegt Jean Paul. 'En toen heeft hij hem ongeveer nageschilderd.'

Jean Paul kijkt naar zijn overhemd. 'Helaas, het was niet bepaald de moeite waard om mijn overhemd vies te maken.'

Een uur later fietsen Brian en Jules terug naar de camping. Wat een domper.

De klap is harder aangekomen dan Brian gedacht had. Hij had al zijn hoop op de muurschildering gevestigd. Hij hoeft dus ook geen archeoloog meer te worden. Als hij maar een beetje talent had, zou hij gezien hebben dat de muurschildering geen waarde had. En dat na al die dagen in het archief. Weken, mag hij wel zeggen. Hij heeft er totaal geen kijk op. Wat kan hij nou eigenlijk wel? Verliefd worden op zijn beste vriend. Hij stelt niks voor, helemaal niks. Een homo is hij, gewoon een stomme homo...

Hij is zo somber dat hij de hele weg niks zegt. Maar Jules heeft het niet in de gaten. Hij denkt aan Nona. Hij vraagt zich opnieuw af of hij nog wel verliefd is. Als hij eerlijk is, weet hij het antwoord wel. De verliefdheid is over. Het is voorbij. Hij heeft dat gevoel niet meer voor haar. Hij moet het haar zeggen, anders gaat hij haar nog ontlopen. Hij stelt zich steeds voor dat het uit is. Dat is wel rot, maar het lucht hem ook op. Hij zal het haar moeten vertellen. Jules wil hartstikke graag vrienden met haar blijven. Nona is een schat, hij is alleen niet meer verliefd. Hoe eerder hij het haar vertelt, des te beter. Dan is hij er tenminste vanaf. Nona vindt heus wel een ander vriendje. Dat verdient ze ook, een jongen die ook verliefd op haar is. Als ze de camping op fietsen, kijkt hij naar het veldje van Nona. Haar fiets staat er. Ze is dus niet op het eiland.

'Ik heb nog geen zin om het tegen de anderen te vertellen,'

zegt Brian. 'Wat een afknapper.' Hij wil eerst zelf aan het idee wennen.

'Als ze het morgen te horen krijgen is het vroeg genoeg,' zegt Jules. 'Sterkte ermee. Ik ga even langs Nona.'

Hij heeft geen zin om Brian te vertellen wat hij van plan is. Het gaat hem niks aan. Hij hoort het straks vanzelf wel, want het gaat natuurlijk als een lopend vuurtje over de camping. Hij hoopt niet dat een of andere loser het op Sweetmemory, de website van Timboektoe, zet. Het ergste vindt hij het voor Nona. Wat een rotklus. Met een zwaar gevoel loopt hij het veldje op.

Nona ziet hem aankomen. 'Daar ben je,' zegt ze en ze valt Jules om de hals. 'Hoe is het me je? Ik hoor van oma dat het niet goed met je vader gaat.'

'Nee, de verpleegster wil niet meer dat ik zo vaak kom, maar dat vind ik wel hartstikke moeilijk. Zo meteen denkt hij dat ik hem laat barsten.'

'Daar heb ik iets op bedacht,' zegt Nona en ze gaat haar tent in. 'Kijk eens wat ik voor je vader heb? Vijf ansichtkaarten. Dan kun je hem er elke dag een sturen.'

'Je hebt ze zelf gemaakt,' zegt Jules. Nona heeft Frodo geschilderd. En op de andere kaarten staat Jules met Frodo.

Hij kijkt naar de kaarten. 'Wat kun je dat toch goed! Lief van je,' zegt hij.

'Zullen we er meteen een schrijven? Ik haal even een pen voor je.'

Jules kijkt Nona na. Ik kan het niet, denkt hij. Ze is veel te lief. Ik kan het nu niet uitmaken.

4

Voor de tweede dag staat de crew tot de knieën in het water. Ze zijn bezig de grondkabels in te graven. Ze begonnen op het land, dat was niet zo moeilijk, alleen een kwestie van graven. Maar daarna moesten ze de kabels door het water naar het eiland leiden. Dat was wel even iets anders. Nog voordat de kabel erin lag, was het gat alweer dichtgeslibd.

'Je moet heel snel zijn.' Kylian deed het hun voor.

Gisteren ging het nog telkens mis, maar vandaag hebben ze de slag te pakken.

'Dit is wel de mafste klus die ik ooit heb gedaan,' lacht Romeo.

Aan het eind van de ochtend trekken ze onder luid gejuich de kabel het eiland op.

'Gaan jullie maar verder met de bar,' zegt Kars. 'Kylian en ik maken het wel af. Dan zetten we meteen de zekeringenautomaat neer.'

'Waar komt dit? Dan ram ik het in de grond.' Stef houdt een paal met een stopcontact erop omhoog.

'Daar ergens, bij de bar.' Kylian wijst. 'Maar dan moet je gelijk het regendakje erboven maken, anders krijgen we problemen.'

'Komt voor elkaar, baas,' zegt Stef.

'Top!' zegt Annabel. 'De kabels zitten in de grond. Volgens Kylian hebben we morgen stroom. Hé, gaaf toch?' Ze geeft Kars een kus.

'Ja, eh... heel gaaf, ja.'

'Hoe vind je onze bar?' vraagt Romeo.

'Ziet er goed uit.' Maar erg enthousiast klinkt Kars niet.

'Weet je het al, broertje? Van dat hout gaan we een waarzeggershutje maken,' zegt Isa. 'Het komt daar te staan, onder die palm.'

'Nou, een waarzegger kunnen we wel gebruiken,' snauwt Kars.

'Wat heb je, man?' vraagt Stef.

'Niks,' bromt Kars.

'Ja, er is wel wat,' dringt Isa aan. 'Zeg het nou maar, want je bent de hele dag al chagrijnig.'

'Ik ben bang dat we het toch niet redden,' zegt Kars. 'Ik hoor pa net tegen mama zeggen dat ze op Paradiso ook paarden gaan verhuren.'

'Dat wordt dus de ondergang van Timboektoe,' zegt Justin. 'Al die meiden zijn helemaal maf van paardrijden. Daar kunnen we echt niet tegenop. Zelfs niet met Hydrospeed.'

'Hadden we maar iets bijzonders,' verzucht Isa.

'Wat bedoel je nou?'

'Weet ik veel, een wonder of zo.'

'Jullie vergeten iets, jongens,' zegt Romeo. 'Timboektoe heeft iets wat die camping niet heeft en ook nooit zal krijgen. Iets wat je best een wonder mag noemen. Timboektoe heeft Stef en mij. Wat denk je daarvan? Wij zijn de trekkers. Daar kan geen golfbaan tegenop. Al die meiden vertellen het aan elkaar door. Ze zeuren hun pa gek. Ze willen allemaal bij Stef en mij in de buurt kamperen. Kijk dan.'

Romeo wijst naar een groepje, dat zijn kant op kijkt. 'Jullie benutten ons niet. Je pa moet een poster van ons bij de ingang hangen. Dan lacht hij die concurrent zo uit, wedden?'

'Wat zijn we weer bescheiden,' zegt Kars.

'Ik bedoelde echt iets bijzonders,' zegt Isa. 'Niet twee babyboys.'

'Krijg nou wat,' zegt Edgar. 'We hebben toch iets bijzonders. De grot... die muurschildering.'

Iedereen wordt meteen blij, alleen Jules wordt rood. Hij zegt niks. Hij vindt dat Brian het zelf moet vertellen. Hij zou het gisteren al zeggen, maar blijkbaar vond hij het nog te moeilijk. Nu kan hij niet langer wachten en hij sms't hem gauw. *Ik kom eraan*, sms't Brian terug.

'Hoe hebben we zoiets belangrijks kunnen vergeten,' zegt Justin. 'Misschien is het wel de ontdekking van de eeuw. Dan krijgen we allemaal publiciteit. Iedereen wil naar Timboektoe: de camping met een megacrew die een muurschildering heeft ontdekt.'

'Yes! Brian redt Timboektoe, jongens. Waar is hij eigenlijk?'

'Ik heb hem al een tijdje niet gezien. Een paar dagen geleden had hij een afspraak met de archeoloog. Daar heb ik eigenlijk niks meer over gehoord.' Kars kijkt naar Jules. 'Hé, jij was er toch bij? Wat ben je ook een stiekemerd, hè?' zegt hij lachend. 'Vertel op, man!'

Zal hij ze vast een beetje voorbereiden? 'Eh... Brian komt het jullie zo vertellen...'

'Ja, dat vind ik ook,' zegt Edgar. 'Mijn broertje heeft die ontdekking gedaan. Hij mag het ons zeggen.'

Help, denkt Jules. Hij wil zeggen dat ze zich vergissen, maar hij komt er niet eens tussen.

'We vertellen pa nog niks,' zegt Isa. 'Het moet een verrassing zijn.'

'Nou, die mag wel een feestje geven...'

'Kijk eens, jongens, wie daar aan komt?' Kars wijst naar

Brian, die hun kant op zwemt. 'Tatatataaaaa... Brian, onze redder!!!'

Ze rennen naar de waterkant. Als Brian uit het water stapt, beginnen ze allemaal te joelen en te klappen.

Stef en Romeo nemen de kletsnatte Brian op hun schouders en rennen het eiland rond.

'Hou op met die flauwekul,' roept Brian.

'Niks flauwekul,' zegt Romeo. 'Je wordt gehuldigd. Jij bent de redder van Timboektoe.' En ze zetten Brian op de bar.

'Spreek het voetvolk toe,' roept Romeo. 'Vertel ons dat we een rooskleurige toekomst tegemoet gaan. Duizenden toeristen zullen de door jou ontdekte grot bezoeken en, niet te vergeten, hun mooiste dochters naar deze camping meevoeren. En jullie zullen hun de waarde van de prehistorie tonen. En Stef en ik zullen hun een stoomcursus aanbieden over wat je nog meer in een donkere grot kunt doen.'

'Zo is het wel weer genoeg,' lacht Edgar.

'Oké... Oké,' galmt Romeo. 'Het woord is aan Brian.'

Iedereen kijkt Brian vol verwachting aan. 'Niet zo bescheiden,' zegt Edgar. 'Wat zei de archeoloog?'

Brian durft het bijna niet te zeggen. Hij haalt diep adem. En dan schreeuwt hij het bijna uit. 'Hij is fake, het is gewoon een nepschildering. Horen jullie het? Die rotmuurschildering stelt niks voor.' En hij springt van de bar en rent weg.

Verslagen kijken ze Brian na, die het water in duikt en wegzwemt.

'Jullie zitten erbij alsof er iemand dood is,' zegt Stef.

'Laat ons even,' snauwt Isa. 'We balen gewoon. Mag dat soms niet?'

Kars' mobiel rinkelt.

‘Neem nou op, man,’ zegt Romeo. Maar Kars heeft er geen zin in en drukt ’m weg. Vlak daarna gaat Isa’s mobiel.

‘Iemand moet ons hebben.’ Ze houdt haar mobiel aan haar oor. ‘Hartstikke lief,’ zegt ze. ‘Ik kom eraan. Het is oma. Ze heeft iets lekkers voor ons. Ik haal haar wel even.’ En ze rent naar de waterkant.

‘Zie je wel dat je altijd moet opnemen,’ zegt Romeo.

‘Ik kon toch niet weten dat het oma was.’

‘Daar moeten we iets op vinden.’ Romeo haalt zijn mobiel uit zijn zak.

‘Wat zit jij nou te prutsen?’ vraagt Edgar.

‘Ik componeer een ringtone op die supersonische mobiel van me, een Timboektoe-ringtone. Die installeer ik bij jullie. Dan weten we altijd dat het iemand van de crew is.’

Niemand zegt iets.

‘Gaaf toch?’ Hij kijkt naar zijn vrienden. ‘Wat zitten jullie daar nou?’

‘Een lekker moment voor een Timboektoe-ringtone,’ zegt Kars. ‘Wat moeten we daar nou mee? Zo meteen wordt Timboektoe opgeheven.’

‘Ja.’ De anderen vallen hem bij. ‘Perfecte timing, Romeo.’

‘Wie nou weer?’ Kars kijkt op zijn mobiel. ‘Wat moet jij nou weer?’ vraagt hij als het Isa blijkt te zijn. En even later zegt hij: ‘Moet ik dat weten? Dat zoek je zelf maar uit.’ En hij drukt het gesprek weg.

‘Wat had ze?’

‘Aan de overkant staat Marco met een groepje meiden. Of ze die mee moet nemen.’

Niemand is in de meiden geïnteresseerd, zelfs Romeo en Stef niet.

‘Paradiso, wat een domper,’ zeggen ze steeds.

Ze zitten zo in gedachten dat ze oma en Isa niet eens zien aankomen. Oma heeft een blad in haar hand met een stapel crêpes erop.

'Dit is voor de troost,' zegt ze en ze zet het blad voor hen neer. Anders vallen ze altijd meteen aan als er chocoladecrêpes zijn, maar nu pakken ze er heel rustig een af. 'Lekker, hoor.'

'Jullie geven de moed toch niet op, hè?' vraagt oma bezorgd. 'Het wordt hier juist zo gezellig. Wat een flitsende bar wordt dit. Kom op, jongens, jullie moeten wel doorknokken.'

'Ben jij dan niet bang voor die nieuwe camping?' vraagt Isa.

Oma rolt de mouwen van haar blouse op. 'Laat ze maar komen.' En ze gaat in de vechthouding staan. Nu moeten ze lachen.

'Vergeet niet dat we aan het snelst stromende gedeelte van de rivier zitten,' zegt oma. 'Die Hydrospeed moet doorgaan, jongens.'

'Dan moeten we eerst een heleboel drankjes verkopen,' zegt Kars.

'Dat gaat lukken,' zegt oma. 'Wedden?'

'Natuurlijk gaan wij niet ten onder,' zegt Edgar. 'Welke camping heeft nou een oma die zulke heerlijke chococrêpes kan bakken?'

'Hé,' zegt Annabel. 'Dat kunnen we hier ook doen. Is dat geen idee? We beginnen een crêperie op ons Love Island.'

'Perfect! We slepen hier een gastoestel naartoe en daar bouwen we een crêperie omheen. Hout genoeg.' Stef ziet het helemaal voor zich.

'Ja,' zegt Kars. 'Maar dan moet oma ons wel uitleggen hoe we ze zo lekker krijgen.'

'Prima,' zegt oma. 'Morgenmiddag kookles, om twee uur.'

'Wat ga jij nou weer doen?' Ze kijken naar Romeo, die het groepje meiden wenkt dat Isa net heeft overgevaren.

‘Even een consumentenonderzoekje.’ Romeo houdt een van de meiden een pannenkoek voor. ‘Zouden jullie een hapje lusten van deze overheerlijke crêpe?’

‘Ja, we kennen je, zeker weer voor een zoen,’ zegt Jorien.

‘Vooruit,’ zegt Anne. ‘Voor één zoen dan.’

‘Dan hou ik die crêpe wel even vast,’ zegt Linda. ‘Anders kunnen jullie niet zoenen.’

Nog voordat Romeo er erg in heeft, grist Linda de crêpe uit zijn handen en scheurt hem in stukken.

‘Kijk eens,’ zegt ze tegen haar neef, die erbij komt staan, en ze geeft hem ook een stuk.

‘Mmmm,’ zegt Marco. ‘Dat smaakt naar meer.’

‘Ja,’ vallen de meiden hem bij. ‘We zouden elke dag wel zo’n crêpe lusten.’

‘Bedankt voor de tip,’ zegt Edgar. ‘Noteer even, chef: crêpeabonnement.’ En hij geeft Kars een pen. ‘Weer een puntje voor ons. Ik denk niet dat je bij Paradiso een crêpeabonnement kunt kopen.’ De stemming komt er weer helemaal in.

‘Timboektoe is the best!’ roept Isa.

Romeo springt op de bar en zet zijn handen voor zijn mond. ‘TIMBOEKTOE RULES!’ brult hij over het eiland.

‘Aan het werk, jongens,’ zegt Isa.

‘Ja,’ zegt Kars. ‘De bar moet vandaag nog af. En daar zorgen jullie voor. Edgar en ik moeten naar het dorp om een gastoestel te scoren.’

‘Kom op, wij varen de frisdranken vast over.’ Isa en Annabel rennen naar de waterkant.

‘Dan vaar ik mee terug,’ zegt oma en ze stapt op het vlot.

Als ze een eindje weg zijn, horen ze een spetterend melodietje. Isa en oma kijken om.

‘Wat is dat nou weer?’ roepen ze.

'De Timboektoe-ringtone,' roept Romeo.

'Gaaf!' En ze halen hun mobiel uit hun zak zodat Romeo de ringtone kan installeren.

Brian loopt langs de rivier. Als hij zo ver weg is dat zijn vrienden hem niet kunnen zien, gaat hij op een steen zitten. Was de vakantie maar voorbij. Hij heeft hier niks meer te zoeken. Wat moet hij nog nu hij niet meer naar de grot kan? Want daar zet hij nooit meer één stap, dat heeft hij zich voorgenomen. En dan is de vakantie voorbij en wat dan? Hij legt zijn hoofd in zijn handen. Hij heeft niet eens meer een toekomst. De enige reden waarom hij op school zijn best deed was dat hij archeoloog wilde worden. Maar dat zit er nu niet meer in. Waarvoor moet hij die rotschool eigenlijk nog afmaken? Wat moet hij met zijn leven? En dan is hij ook nog een homo. Hij kijkt naar het water dat voorbij stroomt. Hoe zou het zijn als hij zich liet meevoeren? Hij schrikt van die gedachte, dat mag hij zijn moeder niet aandoen. Wel een raar idee: als hij zou verdrinken, komt er nooit iemand achter zijn geheim. Maar hij is ook niet van plan te vertellen dat hij homo is. Hij kijkt naar een jongen en een meisje die aan de overkant van de rivier zitten te zoenen. Waarom kan hij dat niet? Waarom moet hij nou uitgerekend anders zijn? Hij denkt aan zijn vrienden op school. Hoe vaak roepen ze niet mietje of homo tegen elkaar? Het is een scheldwoord. En nou is hij zo. Als ze het wisten, zouden ze niet meer met hem omgaan. In de tweede zit ook een jongen die homo is. Elke dag wordt hij getreiterd en gepest. Gaat dat ook met hem gebeuren als ze er per ongeluk achter komen?

'Hé, zit jij hier? Ik zocht je al.' Nona slaat een arm om Brian heen. 'Je baalt zeker van die muurschildering? Ik hoorde het net toen ik op het eiland kwam. Maar dat moet je je niet te veel aantrekken. Over een tijdje is iedereen het vergeten. Ze zijn hartstikke druk met het Love Island. En voor mij ben je nog steeds dezelfde lieve Brian. Ze pakt zijn gezicht en geeft hem een kus. 'Zullen we een eindje zwemmen? Daar knap je altijd van op.'

'Laat mij maar. Ik heb gewoon een dip.'

'Ik laat je echt niet zo zitten. Je bent mijn vriend, hoor. Hoe lang kennen wij elkaar al niet? Ik was acht toen ik voor het eerst op deze camping kwam en toen was jij er ook. Weet je nog wat we toen deden?' Nona wijst naar de bosjes. 'Daar hebben we gekust. We speelden twee verliefden, weet je nog? We kusten elkaar op de lippen, maar onze mond hielden we stijf dicht. Nu zijn we nog steeds vrienden. Weet je dat jij de enige vriend bent die ik helemaal vertrouw? Jij zult nooit een vuile streek uithalen. Ik durf jou alles te vertellen. Met wie heb je dat nou?' Ze trekt Brian tegen zich aan. 'Hé, kanjer!'

Brian voelt zich schuldig. Je moest eens weten, denkt hij. Je moest eens weten dat ik verliefd ben op jouw vriendje.

5

Als ze twee dagen later op het eiland aan het werk zijn, klinkt uit Kars' mobiel de Timboektoe-ringtone.

'Ha die Kylian!' roept Kars. 'Doen we.' En hij hangt weer op. 'Of we even in de koelkast willen kijken,' zegt hij tegen de anderen.

'Daar zit helemaal niks in,' zegt Annabel. Ze doet de deur toch open.

'Het lampje brandt!' roept ze. 'We hebben elektriciteit!'

Kars belt Kylian meteen terug.

'Perfect, man. Nee, nu hebben we je niet meer nodig. Mooi zo, dat geef ik meteen door.

Het is erdoor,' zegt Kars. 'De crêperie komt er. Nou is alleen de vraag wie daar verantwoordelijk voor wordt. Jij, Romeo?'

Romeo legt zijn schroevendraaier neer. 'O nee, zeker met een koksmuts op en een schortje voor tussen al die meiden gaan staan. Nee mister, geen sprake van. Dat is niet goed voor mijn reputatie.'

'Wat een eikel ben jij toch. Je verbeeldt je veel te veel, mannetje.' Isa zet een krat met blikjes neer. 'Zo, dit is vast een beginnetje.' Ze doet de koelkast open.

'Doet hij het nog?' roept Edgar vanonder de bar.

'Top,' zegt Isa.

'Dus voor jou geen crêperie,' zegt Kars tegen Romeo. 'Wat wil jij dan wel?'

'Kapitein. Dat past beter. Wij varen de dames wel over naar

het eiland, toch, matroos van me?' Romeo geeft Stef een klap op zijn schouder.

'En dan onderweg ergens aanleggen.' Edgar komt onder de bar vandaan.

'Jullie snappen het niet,' zegt Romeo. 'Wij maken ze hongerig. Goed voor de crêperie.'

'Mij best.' Kars noteert hun namen. 'En dan hebben we nog de bar,' zegt hij, maar niemand verstaat hem, want Justin zet net de boormachine aan.

'Wat?'

'De bar!' schreeuwt Kars. 'Mag dat ding even uit?' Als Justin hem niet hoort, trekt hij de stekker uit het stopcontact.

'Wie beheert de bar?' vraagt Kars voor de derde keer.

'Welke bar?' vraagt Romeo.

'Ja,' zegt Stef. 'Wij willen ook een bar aan boord natuurlijk.'

'Ja, hoor,' lacht Justin. 'En we timmeren er ook wel even een bioscoop op. Het is toch geen cruiseschip, man.'

'Deze bar beheer ik wel,' zegt Edgar.

'Dan help ik je.' Justin drukt zijn vuist tegen die van Edgar.

'Ik serveer, dan moet je wel met me samenwerken, hoor.' Isa geeft Justin een kus.

'Het staat genoteerd,' zegt Kars.

'En wat doet de chef zelf?' vraagt Romeo.

'Ik ben vliegende kiep,' zegt Kars. 'En als laatste ons waarzeggershutje. Annabel, weet je zeker dat je dat wilt?'

'Natuurlijk gaat dat door,' zegt Isa. 'Ze kan het hartstikke goed. Wedden dat ze voor haar in de rij staan?'

'Dat plan moeten we nog beter uitwerken,' vindt Kars. 'Over de plek ben ik het ook nog niet eens. Maar het gaat dus door, dan schrijf ik dat erbij. Ik denk dat we zo rond zijn.'

'Denk eens goed na: waar begon je nou mee?' vraagt Isa.

'O ja, de crêperie.'

'Dat willen wij wel, hè Frodo?' Jules aait zijn hond. 'Laat ons maar lekker kokkerellen.'

'Mooi zo,' zegt Kars. 'Jules en Nona zijn onze koks.'

Jules schrikt. Nu hij weet dat hij het gaat uitmaken met Nona wil hij helemaal niet met haar worden ingedeeld.

'Ik kan het makkelijk alleen af,' zegt hij.

'Aha, wilt u ons even verontschuldigen?' Romeo wijst naar twee meiden van de camping, die op het vlot staan om overgevaren te worden. 'Kom op, Stef, onze taak roept.' De twee jongens zijn bijna bij het vlot als de meiden de touwen losgooien.

'Toedeloe!' roepen ze en ze duwen het vlot van de kant.

'De boot vertrekt zonder de bemanning!' roept Stef. De jongens duiken met kleren en al het water in. Ze grijpen het vlot en klimmen erop. 'Jullie zijn in overtreding. Bij het eerste station worden jullie overboord gezet!' roepen ze.

'Hoezo worden wij overboord gezet?' roepen de meiden terug. De jongens proberen ze in het water te duwen, maar de meiden zijn ook sterk. Ze stoeien en... dan liggen ze alle vier in het water. Gillend van de lach zwemmen de meiden weg.

'We dachten dat die Anne en Kim zulke tutjes waren.' Drijfnat klimmen Romeo en Stef op het vlot.

'Kapitein ahoy!' wordt er achter hen geroepen. Als de jongens omkijken, zien ze Nona en Brian in de rubberboot peddelen.

'We konden niet eerder komen,' zegt Nona als ze de boot op het zand duwt. Ze geeft Jules een zoen. 'Ik heb een verrassing voor je. We gaan overmorgen een uitstapje maken met mijn ouders en tante Monique. We gaan wijn proeven en ergens lekker lunchen. En we gaan nog iets doen, wat ik niet verklap. Jij vindt het heel leuk, dat weet ik zeker, en je mag mee. En jij mag ook mee.' Nona aait Frodo.

Jules wordt rood. Zeker leuk, denkt hij, om de hele dag met haar ouders op stap te gaan. Dan mogen ze voor me betalen en daarna maak ik het uit.

'Ik, eh... Ik kan niet,' zegt hij. 'Ik moet de crêperie opbouwen.'

'Ga toch mee, man,' zegt Edgar. 'Brian neemt het wel een dagje van je over.'

'Ja,' voegt Romeo eraan toe. 'Dan mag Brian met een schortje voor en een mutsje op achter het fornuis staan. Dat vind ik wel bij je passen, Brian.'

Iedereen moet lachen, maar Brian wordt woedend. 'Wat bedoel je met "het past wel bij jou"?' Hij grijpt Romeo naar zijn strot. 'Nou? Zeg dan wat je bedoelt!'

'Je kilt hem bijna,' zegt Stef. 'Het was maar een geintje, hoor.'

Brian schrikt zelf van zijn heftige reactie en hij laat Romeo los. 'Sorry.'

'Jij bent pissig door die muurschildering,' zegt Romeo.

'Hij had bijna van jou een muurschildering gemaakt,' lacht Stef.

'Ga je nou mee overmorgen?' vraagt Nona.

'Natuurlijk gaat Jules mee,' zegt Edgar. 'Daar hebben we nou onze vliegende kiep voor. Die neemt jouw job wel een dagje over.'

'Hoe laat is het?' vraagt Kars.

'Half vier,' zegt Justin.

'Wat?' Nona schrikt. 'Dan moet ik terug. Tante Monique komt.' Ze rent naar haar rubberboot en peddelt naar de camping. Als ze bij het veldje komt, ziet ze de Landrover van Monique al staan. Ja, hoor, ze zitten gezellig aan de wijn in de voortent. Haar kleine zusje rolt een splinternieuwe bal over het gras.

'Je bent er al!' roept Nona en ze omhelst haar tante. Wat ziet ze er toch weer hip uit, heel wat anders dan haar moeder.

'Dag meid.' Monique bekijkt haar nicht. 'Wat straal je, kind.'

'Nog een wijntje en een stokbroodje? Nona's vader houdt de fles al boven Moniques glas. 'Ja, natuurlijk. Wijn en stokbrood met kaas, dat hoort bij Frankrijk. Wat zeg jij, meid.' En ze neemt een slok.

'Kijk dan, Nona. Deze bal heb ik van Monique gekregen.' Anne gooit de bal naar Nona toe. Hij gaat vlak langs het tafeltje.

'Niet hier ballen,' zegt Nona's vader. 'Straks valt onze heerlijke wijn om.'

'Voor jou heb ik ook iets,' zegt Monique. 'Kijk maar even in mijn auto. Het ligt op de achterbank. Het is iets wat je hier niet kunt kopen.'

Nona doet de deur van de auto open. 'Lekker!' roept ze en ze haalt een gigazak drop van de achterbank.

'Ik heb gehoord dat jullie hier met een heel stel zijn,' zegt Monique. 'Dan heb je in elk geval genoeg.'

Nona maakt de zak open en steekt meteen een handvol drop in haar mond. 'Mmm.' Als ze de paardrijspullen van Monique in de auto ziet liggen, krijgt ze meteen zin. 'Kunnen we niet morgen al gaan?' vraagt ze.

'Nee,' zegt haar moeder. 'Monique heeft dat hele eind gereden. 'Ze moet echt een dagje bijkomen.'

'We kunnen er morgen ook een gezellige dag van maken,' zegt Monique. 'Laat jij mij dan de camping maar zien. Na ons paardrijtochtje is daar geen tijd meer voor, dan ga ik weer verder naar het zuiden, want Hans komt over een paar dagen.'

'Ik vind het heel gezellig dat je hier nou eens bent,' zegt Nona's moeder.

'Jullie hebben er ook zo vaak over verteld,' zegt Monique. 'Ik dacht: nu moet ik het eens zien. Schitterend hier. Maar ik kom natuurlijk niet alleen voor het plekje.' Ze kijkt Nona aan. 'Ik wil die Jules van jou wel eens bewonderen.'

'Jules lief,' zegt Anne.

'Ja, dat vindt Nona geloof ik ook,' lacht Monique.

'Het is dik aan tussen die twee,' zegt Nona's moeder.

Nona knikt stralend.

'Het spijt me.' Nona's vader neemt een slok wijn. 'Ik ben er niet zo blij mee. Jules woont veel te ver weg. Wat heb je daar nou aan? Jullie zijn nog veel te jong. Dat houdt die jongen toch nooit vol? Die vindt ineens een ander meisje en jij maar thuis zitten wachten tot je eindelijk weer naar hem toe kunt.'

Nona wordt kwaad. 'Zo is Jules helemaal niet. Die gaat heus niet met een ander.'

'Maak je niet zo'n zorgen,' zegt Monique. 'Hans en ik hebben elkaar toch ook heel jong tijdens een vakantie leren kennen? En het is nooit meer uitgegaan.'

'Jules en ik blijven ook samen,' zegt Nona. 'Overmorgen zie je hem.'

'Dus hij gaat mee?' vraagt Nona's moeder.

'Eerst zei hij dat hij niet kon,' zegt Nona. 'We zijn met het Love Island bezig en hij verzorgt de crêperie. Hij is ook zo serieus.'

'Dat is alleen maar fijn,' zegt Monique. 'En nou gaat hij toch mee?'

'Kars neemt het werk van hem over. Maar hij weet nog niet wat we gaan doen. Ik heb het hem lekker niet verteld. Ik heb er zo'n zin in. Waar gaan we precies rijden?' vraagt Nona.

'In de bergen,' zegt Monique. 'Je moet minimaal twee jaar paardrijles hebben gehad. Van jou weet ik het wel, maar hoe zit het met Jules?'

'Jules heeft zijn hele leven op een paard van iemand uit het dorp gereden. Dat paard hebben ze nu niet meer. Hij mist het hartstikke erg.'

'En jullie gaan zeker intussen naar een wijnboerderij om wijn te proeven?' zegt Monique. 'Dan weet ik het al,' lacht ze als Nona's ouders knikken. 'We gaan met mijn auto.'

6

'Ga je nu naar die camping?' vraagt Kars als zijn vader na het ontbijt vraagt of hij meegaat.

'Ja,' zegt Ad. 'Of blijf jij liever hier?'

Kars kijkt naar Annabel. Ze zouden na het ontbijt even samen gaan zwemmen, maar dat kan dan niet.

'Het geeft niet,' zegt Annabel. 'Ga jij nou maar naar die camping, dat vind je belangrijk.'

Isa fluistert iets in Annabels oor.

'Ja, dat doen we,' zegt Annabel. 'Wij gaan even naar de rommelmarkt.'

'Wat moeten jullie daar nou?' vraagt Romeo.

'Dat zien jullie nog wel.' Isa geeft Justin een zoen en loopt naar buiten.

'Hé.' Kars houdt Annabel vast. 'Je vindt het toch niet erg dat ik niet ga zwemmen?'

'Natuurlijk niet.' Annabel kust Kars.

'Kom je nog?' roept Isa.

Als Annabel wegloopt, kijkt Kars haar na. Wat is ze toch mooi, denkt hij.

'Zullen we dan maar?' zegt Ad.

'Het lijkt me goed dat jullie even kennismaken,' zegt oma. 'Wie weet hoe aardig ze zijn.'

Kars gaat naast zijn vader in de auto zitten. 'Ik ben heel benieuwd wat we aantreffen. Misschien is het wel helemaal niet zo luxe als ze hebben gezegd.'

'Ik ben bang van wel,' zegt Ad. 'Voor die villa hebben ze al heel wat moeten neertellen en dan al dat land er omheen. Dat moeten ze toch terugverdienen.'

Ze zijn niet de enigen die de kant van de camping op rijden. Het laatste stuk rijden ze tussen aannemersbusjes.

'Als die allemaal bij hen werken, snap ik dat ze over een paar dagen al opengaan,' zegt Ad. Van een afstandje zien ze het terrein al liggen. CAMPING PARADISO staat er met grote letters boven de ingang. Ad parkeert in de berm. 'Nou, zie je al die werklui?' vraagt hij.

'Ze zijn met een tennisbaan bezig,' zegt Kars.

Ad wijst naar een andere groep werkmannen. 'Het restaurant staat er al. Nou, dat gaat hard, zo te zien. Ze moeten het alleen nog afwerken, maar dat kan ook als de gasten er zijn. Moet je daar kijken.' Ad wijst naar de paarden.

Kars kijkt zijn ogen uit. 'Hoeveel paarden staan er wel niet?' Hij telt er zeker tien. 'Daar komt ook een nieuwe stal. Wat een ding wordt dat! Daar passen ons hele huis plus de kantine in. Nee pa, daar kunnen wij niet tegenop.'

Ze lopen naar de villa. Alleen het pad dat er naartoe leidt, is al een hele wandeling. Eindelijk komen ze in de tuin. Voor het huis zit een vrouw in bikini.

'Goeiemorgen,' zegt Ad. 'Ik ben de eigenaar van Timboektoe, de camping hier verderop, en dit is mijn zoon Kars.' Ze lopen naar de vrouw toe om haar een hand te geven, maar ze staat niet eens op.

'O, ik dacht dat jullie eindelijk mijn paard kwamen brengen, maar dat is dus niet zo.' En ze wendt haar gezicht verveeld af.

'Het leek me wel aardig om even met elkaar kennis te maken,' zegt Ad.

'Ik ga niet over de camping,' zegt de vrouw. 'Dan moet je bij mijn man zijn. Hij is aan de telefoon. Het is ook zo'n gezeur.

Mijn paard zou hier allang zijn. Waarom het zo lang moet duren begrijp ik ook niet. En intussen verveel ik me dood.'

'Ik zag daar allemaal paarden,' zegt Kars.

De vrouw lacht. 'Je denkt toch niet dat ik op die knollen ga rijden, hè? Die zijn voor de toeristen. Ik snap niet waarom het beest er nog niet is. Ik zit hier maar. Je hebt toch ook geen zin om de hele dag in de zon te liggen. Als ze nou eens opschoten met die tennisbaan, maar van doorwerken hebben ze hier in Frankrijk nog nooit gehoord. Mijn man moet ze de hele dag achter hun vodden zitten. Als je niet oppast, staan ze weer te kletsen. En wij maar wachten op onze tennisbaan.'

Er komt een man aan lopen met een sigaar in zijn mond.

'En?' vraagt ze. 'Hoe zit het met Bianca?'

'Ze is hier vanmiddag.' De man kijkt naar Ad en Kars. 'Vrouwen...'

'Ik ben de eigenaar van Timboektoe,' zegt Ad. 'En dit is mijn zoon Kars. Ik moet zeggen, jullie hebben een riante plek.'

'Persoonlijk geef ik niks om die dooie troep hier,' zegt de man. 'Het is een kwestie van geld maken en dan zo snel mogelijk wegwezen. Ik wil naar de States, maar dat duurt nog wel een paar jaar. Voorlopig ben ik meer oppasser. Je betaalt hen en dan wil je toch dat ze er wat voor doen, wat zeg jij? Anders kunnen we zelf ons overalletje wel aantrekken, toch?'

Kars kijkt naar de man. Hij ziet er niet naar uit dat hij zelf één vinger uitsteekt en zijn vrouw al helemaal niet.

'Dus jullie horen bij dat kabouterveldje. Dat is zeker niks, hè? Daar komen de mensen niet meer voor. Nou ja, wat brengt jullie hierheen? Drie keer raden. Je komt vragen of ik dat grasveldje van je over wil nemen. Ik zeg het maar meteen: ik heb geen enkele interesse. Hoe lang blijven jullie nog open, denk je?' Hij kijkt opzij. 'Ah, daar heb je onze tweeling.'

Kars kijkt naar de meiden die aan komen lopen. Ze lijken niet op elkaar. De een heeft zwart haar en de ander is blond. Ze zijn ouder dan Kars. Hij schat ze zo'n jaar of zestien, maar zeventien zou ook kunnen.

'Hoi, ik ben Anouk.' Het meisje met het zwarte haar geeft Kars een knipoog. Kars wordt rood. Het is ook zo'n mooie meid. Ze zal hem wel een piepkuiken vinden.

'Valerie,' zegt de ander. Zij lijkt wat verlegen.

'Wil je de paarden zien?' vraagt Anouk.

'Dat lijkt me wel gaaf.' Kars loopt met haar mee.

Hij weet zo gauw niet wat hij moet zeggen. Hij begint maar over Timboektoe. 'Wij hebben ook een camping, Timboektoe. Maar dat is wel heel wat anders dan hier. Wij hebben geen tennisbaan en ook geen paarden.'

'Nee, maar wel leuke boys.'

Dus zij kent Stef en Romeo ook al, denkt Kars. Maar Anouk kijkt hém aan. 'Jij bent wel een lekker ding, zeg. Ik zou best eens bij jullie willen kijken.'

'Nou, leuk,' zegt Kars. 'Dat lijkt me prima.'

'Dan kom ik samen met Valerie.'

'Je vader vindt onze camping niks,' zegt Kars. 'Hij had het over een kabouterveldje.'

'Je moet niet naar mijn vader luisteren. Hij heeft altijd praatjes. Valerie en ik zijn heel anders. Kijk, dit zijn de paarden.'

'Lieve beesten,' zegt Kars. 'Dat zal wel een trekker worden.'

'Jullie hebben toch ook iets bijzonders? Jullie varen toch met een vlot over de rivier?'

'Ja.' Kars vertelt over het Love Island. 'Het is bijna klaar.'

'Daar wil ik weleens met jou heen,' zegt Anouk. 'Hé, wat denk je daarvan?' Ze gaat met haar vinger langs Kars' mond. Kars raakt in de war. Wat heeft hij? Het lijkt wel of ze hem betovert. Haar lippen komen steeds dichterbij. Wat gebeurt er met hem? Hij voelt het in zijn hele lichaam, alles begint te gloeien. Hij heeft zin om die lippen te kussen. Hij denkt aan Annabel en dan draait hij zich van schrik om.

'Ik moet terug naar mijn vader,' stamelt hij.

Anouk en Valerie liggen in het gras. Ze luisteren naar hun ouders, die ruzie hebben.

'Jij hebt het wel over een kabouterveldje,' zegt hun moeder, 'maar het is daar best druk.'

'Alsof ik dat niet weet,' snauwt hun vader. 'Begin je daar nou alweer over?'

'Natuurlijk begin ik daarover. Jij hoefde niet te kijken naar die camping toen je dit wilde kopen, weet je nog? Nee hoor, die stelde toch niks voor. Die zou jij zo van de kaart vegen. Nou, dat wil ik nog wel eens zien. Het zit daar propvol.'

'Nou en?'

'Nou en? Al ons geld zit erin, man. Wat daar zit, komt niet hierheen.'

'Zeur toch niet, mens. Die camping krijg ik zo weg. Moet je eens zien, als wij over een paar dagen open zijn en de mensen weten dat wij paarden verhuren. Geen gek die dan nog op dat konijnenveldje gaat staan. Wacht maar af. Binnen een jaar zijn ze failliet.'

Anouk wenkt haar zus mee. 'Hoorde je wat papa en mama zeiden?'

'Moet je ons hier nou zien zitten,' zegt Valerie. 'Er is hier echt geen fuck te beleven. Alleen maar saaie natuur. Wij worden hier echt gek. We zouden naar Amerika gaan. We willen toch filmster worden? Hoe zou dat hier kunnen? Als hij nou een camping in St. Tropez had gekocht, maar we zitten hier midden in de rimboe. Er wonen hier alleen maar boeren, en baby's.'

'Het was wel een lieve baby,' zegt Anouk. 'Maar wat hebben wij daar nou aan? En dan moeten we hier zeker naar school?'

'Dan zitten we tussen al die lelijkerds. Waar je mee omgaat, word je mee besmet. We zijn al zestien. Als het lang duurt, kunnen we niet eens meer filmster worden. Ze zitten daar echt niet op oude trutten van twintig te wachten.'

'Papa had wél naar Timboektoe moeten kijken, dan had hij dit nooit gekocht. Nou zegt hij gauw dat hij die camping wel weg krijgt, maar geloof jij dat?'

Valerie denkt na en dan zegt ze met een stralend gezicht: 'Papa kan het niet in zijn eentje, maar wel met onze hulp...'

Anouk en Valerie kijken elkaar aan en dan rollen ze lachend door het gras. 'Wij zorgen er wel voor dat onze pa een heleboel geld gaat verdienen, zodat we zo snel mogelijk naar Amerika kunnen. We verzinnen er wel wat op om die camping weg te krijgen. Iets heel vals...'

'Maar we zijn niet vals,' lacht Valerie. 'Wij zijn juist heel braaf. Voorbeelddochters zijn we. Wij zorgen ervoor dat onze paps en mams trots op ons kunnen zijn.'

'Wij zijn alleen heel behulpzame meisjes, toch? Dat zijn we al vanaf onze geboorte.'

'Ja,' lacht Valerie. 'Papa wil zo gauw mogelijk naar Amerika. En dat willen wij toevallig ook. En het is helemaal niet moeilijk. We moeten er alleen voor zorgen dat die stomme camping wordt opgeheven. Meer niet. En dat kotertje gaat ons daarbij helpen. Dat doet hij wel, want het is een heel lief kotertje, een snoepje dat precies gaat doen wat wij zeggen.'

'Wat ik zeg,' zegt Anouk. 'Want dat peutertje is al van mij.

Ja, ik had hem het eerst. Dan had jíj maar met hem naar de paarden moeten gaan. Nu is hij al van mij.'

Valerie moppert. 'Goed dan, maar ik wil alles weten wat je met onze baby doet. Heb je al met hem gezoend?'

'Nee,' zegt Anouk. 'Misschien heeft hij nog nooit gezoend. Hij schrok.'

'O, dat doen baby's altijd, hij moet nog even wennen. Wat heb je dan wel gedaan?'

'Nog niks.'

'Stommerd, hij was hier en dan laat je hem zo gaan?'

'Helemaal niet,' zegt Anouk kwaad. 'Ik heb toevallig wel zijn mobiele nummer.'

'Laat zien dan!'

Anouk geeft haar mobiel aan haar zus.

'Staat hij er echt in?'

'Ja.'

'Waar dan?'

'Wat dacht je nou, bij de b van baby natuurlijk.'

'En, baal je?' vraagt Kars als ze weer in de auto zitten.

'Nou,' zegt Ad. 'Ze zijn nogal wat van plan. Dat het zo perfect zou worden, had ik niet verwacht. Ze krijgen werkelijk alles. En erg sympathiek vond ik ze ook niet. Ze stellen zich niet bepaald als collega's op, meer als concurrenten. Hoewel ik die dochters wel aardig vond.'

'Dat zijn ze ook,' zegt Kars. 'Anouk had het nog over Timboektoe. Het leek haar een heel gave camping. Vooral omdat wij zo veel jongeren hebben. Ze wist ook al van ons eiland. Ze zei zelfs dat ze een keer met haar zus wilde komen kijken.'

'O,' zegt Ad. 'Dat klinkt wel positief. Het zou leuk zijn als jullie een goede relatie met die dochters krijgen. Dan draaien de ouders vanzelf wel bij. Misschien voelden ze zich een beetje overvallen door ons. Je weet het nooit. Die Anouk liet jou de paarden zien, hè? Dat vond je zeker wel leuk?'

'Ja,' zegt Kars. 'Lieve beesten.'

Hij denkt weer aan het moment dat hij met Anouk bij de paarden stond. Wilde ze hem nou zoenen of leek het alleen maar zo? Misschien verbeeldde hij het zich wel. Zo'n meid van zestien ging toch niet met hem zoenen?

'Vind je het goed als we samen even naar de stad rijden?' vraagt Ad. 'Ik moet nog het een en ander regelen.'

'Ik heb geen haast.'

'Mooi zo, dan ga ik met mijn zoon ergens lunchen. Het is een tijd geleden, jongen, dat we met zijn tweetjes waren.'

7

Het is al half drie als Kars het eiland op loopt. Maar het kan hem niks schelen. Hij vond het fijn om weer eens met zijn vader alleen te zijn. Hij kijkt verrast op. De bar is zo goed als klaar. Justin verft hem lichtblauw.

'Moet het niet wat meer knallen?' vraagt Kars.

'Nee man, wat denk jij nou? Dit is alleen nog maar de onderlaag,' zegt Justin. 'Edgar gaat er straks letters op schilderen. Weet je wat erop komt te staan? BAR GEZELLIG. Hé, hoe vind je die? Heb ik bedacht.'

'Fantastisch,' zegt Kars.

'Wat vind je hiervan?' roept Romeo.

'Het waarzeggershutje staat er ook al bijna. Wat ziet het er goed uit.' Kars kijkt naar het tafeltje en de drie stoeltjes die er omheen staan.

Annabel geeft Isa de hamer. 'Zo, weer een schilderijtje. Heb je onze glazen bol al gezien?' Isa haalt hem tevoorschijn en zet hem op het tafeltje. 'En hiervoor komt dit gordijn.'

'Pas op, niet stoten!' Edgar spuit cupidootjes op de buitenmuur die met pijl en boog harten doorboren.

'Echt gaaf!' vindt Kars.

'Ik heb echte waarzegsterskleren. Wil je ze zien?' Annabel verdwijnt achter het hutje en verkleedt zich.

'Tatatataaaa! Modeshow!' Isa doet net of ze een microfoon in haar hand heeft. Annabel komt achter het hutje vandaan.

'Hier is onze lieftallige Annabel, met een zigeunercreatie,' spreekt Isa door de microfoon. 'U ziet dat de gebloemde lange rok geweldig goed staat bij de gebloemde hoofddoek die ze zo charmant heeft omgeknoopt. Ook de mooie wijde bloes met ruches en pofmouwen combineert prachtig met de gouden oorringen. Het geheel wordt gecomplementeerd door...'

'Harige poten!' roept Romeo.

'Wat zeg jij? Niks harige poten!' Annabel geeft Romeo een klap op zijn kop.

'Dag mevrouw de waarzegster.' Kars gaat op een stoel zitten. 'Kunt u mij de toekomst voorspellen?'

Annabel gaat op de waarzegstersstoel zitten en kijkt in haar bol. 'Ik zie dat iemand u een heel lekkere kus gaat geven.' En ze buigt haar gezicht naar Kars toe.

'Protest!' roept Romeo. 'Bij ons zei je dat niet, hè? Ik kreeg alleen maar ellende te horen. Ik zou een heel mooie meid ontmoeten. Ik helemaal blij, krijg ik te horen dat ze mij niet wil.'

'Dan ik,' zegt Stef. 'Ik blijf tot mijn zestigste bij mijn ouders wonen. Niemand die mij wil.'

'Hoe kom je aan die kleren?' Kars bekijkt Annabels rok.

'We waren toch naar de rommelmarkt? Daar hebben we die kleren gevonden. En deze schilderijtjes ook.' Isa is bezig er nog een op te hangen.

'Het wordt super, jongens,' zegt Kars. 'En dat is maar goed ook, want we moeten er hard tegenaan.'

'Ja, hoe was het op Paradiso?' Ze komen allemaal om hem heen staan.

'Je weet niet wat je ziet,' vertelt Kars. 'Dit jaar is er geen vakantie voor de Franse bouwvakkers, hoor. Ze zijn daar allemaal bezig. Ze hebben wel tien paarden lopen. En als je die tennisbaan ziet! Maar die mensen zijn vreselijk. Een chagrijnig wijf dat maar zeurt omdat haar paard er nog niet is en die kerel vond ik drie keer niks. Ze hebben alles, maar er is geen sfeer en dat hebben wij juist wel. Dus misschien gaan we het toch redden.'

'Hebben ze geen kinderen?' vraagt Romeo.

'Jawel, ik zag twee dochters.'

'En dat zeg je nu pas. Hoe oud? Nou, hoe oud zijn ze?' vraagt Romeo.

'Zestien of zeventien.'

'Dat is iets voor ons, Stef. Wij houden wel van een beetje rijpe vrouwen. Hoe zien ze eruit?'

'Daar heb ik niet op gelet. Wel aardig, geloof ik.'

'Opzij,' zegt Edgar. 'Sorry, maar ik moet doorwerken.'

'Waarom staan er drie stoelen?' vraagt Kars.

'Nou, hier zit ik,' zegt Annabel. 'En het kan natuurlijk ook dat er een stelletje komt.'

'Vind je het niet super?' vraagt Isa.

'Zeker,' zegt Kars. 'Maar wat gaat hier nou precies gebeuren?'

'Daar hoef jij je helemaal geen zorgen om te maken, broertje,' zegt Isa. 'Dat hebben Annabel, Nona en ik al helemaal uitgedacht. Het wordt echt top!'

'Het hele eiland wordt top,' voorspelt Stef. 'We moeten het wel inwijden als het klaar is.'

Ze zijn het er allemaal over eens. Het moet feestelijk geopend worden.

'Prima,' zegt Kars. 'Wanneer denken jullie dat je zover bent?'

Ze kijken het eiland rond. De crêperie moet nog helemaal opgebouwd worden. Op de plaats waar die komt te staan, ligt alleen nog maar een stapel planken.

'Jules is naar de kantine,' zegt Stef. 'Hij moet de butagasfles niet vergeten. Zonder gas bakt het niet zo lekker, hè? Mag ik even jouw mobiel, Kars? Ik heb weer eens geen beltegoed.'

'Alsjeblieft.' Kars geeft zijn mobiel aan Stef. Stef wil het nummer intikken als Kars' mobiel piept. 'Je hebt een sms'je, ik kijk wel even voor je.'

'Niks ervan, dat is privé, man.' Kars wil zijn mobiel pakken, maar Stef rent ermee weg. Een eindje verderop opent hij het bericht.

'Geef hier, man,' zegt Kars boos.

'Hé vriend, wat is dat?' vraagt Stef. 'Wie is Anouk?'

'Wat hoor ik?' Romeo komt er ook bij.

'Niemand, man,' bromt Kars. 'Gewoon een van de meiden van die camping.'

'Man, je wordt helemaal rood, je kop knalt zowat uit elkaar. Hoe zit dat, meneer? Annabel mag wel oppassen. Je hebt indruk gemaakt, anders schrijft ze geen "liefs".'

'Annabel hoeft helemaal niet op te passen,' zegt Kars.

'Vraag die meiden op het feest,' zegt Romeo. 'Als jij al indruk maakt, wat zullen ze dan wel niet van ons vinden?' Hij stoot Stef aan.

Jules zit in zijn tent. Frodo legt zijn kopje op zijn schoot.

'Ja, ik moet iets heel moeilijks doen,' zegt Jules. 'Ik ga tegen Nona zeggen dat ik niet meer verliefd op haar ben.' Hij streelt zijn hond.

Was ik maar een hond, denkt Jules. Lekker makkelijk; die snauwen elkaar gewoon af als ze er geen zin meer in hebben. Maar hij moet het echt aan Nona gaan vertellen. De vraag is: hoe? Jules gaat staan. 'Hoi, ik moet je iets vervelends vertellen,' zegt hij hardop. 'Ik ben niet meer verliefd op je.'

Nee, dat is niks. Veel te bot. Hij probeert het nog een keer. 'Hoi, je vroeg of ik morgen meeging, maar ik denk dat het geen goed idee is.' Dat is een goed begin, dan weet ze al dat er iets vervelends komt. Hij moet haar toch een beetje voorzichtig voorbereiden.

Jules kijkt op zijn horloge. Ze moeten zo eten. Het beste kan hij nu gaan. Hij loopt de tent uit. Frodo dribbelt naast hem over de camping. Jules blijft bij de struiken staan. Hij gluurt door de bomen naar het veldje. Nona zit in de voortent. Haar tante is er ook. Hij gaat het natuurlijk niet zeggen waar iedereen bij is. Hij heeft wel weer een fantastisch moment uitgezocht. Moet je zien hoe gezellig ze daar zitten. Nona zit stralend naast haar tante. Dat komt hij even verpesten. Dat kan toch niet? Jules aarzelt. Zal hij teruggaan? Maar wanneer moet het dan? Dat stomme uitstapje ook. Schiet op, zegt hij tegen zichzelf. Hij haalt diep adem en loopt het veldje op.

'Ha, daar heb je hem!' roept Nona blij. 'Mijn tante wil je zien, hoor. Ze is hier speciaal naartoe gekomen om jou te zien.'

'Daar heb ik morgen ook de hele dag de tijd voor,' zegt Monique. 'Wat leuk, Jules, om je te ontmoeten.' Ze geeft hem een hand. 'En jij bent zeker Frodo.' Ze aait Jules' hond.

'Nou, hoe vind je hem? Is hij niet lief?' Nona slaat een arm om Jules heen.

'Jullie boffen maar met elkaar,' lacht Monique.

Anne komt naar Jules toe. 'Voetballen, Jules?' En ze rolt haar bal naar hem toe.

Nee, hè? denkt Jules, nou kan ik nog gaan voetballen ook. Anders vindt hij het altijd leuk om met Anne te spelen, maar nu voelt hij zich opgelaten.

'Leuk, Jules, dat je met ons meegaat,' zegt Monique.

Jules voelt zich vreselijk. Terwijl hij de bal naar Anne trapt, kijkt hij naar Nona. Ze straalt helemaal.

'Lief is hij, hè?' blijft ze maar tegen Monique zeggen.

Ook dat nog, denkt Jules als Nona's vader er aan komt.

'Een colaatje, Jules?'

'Nee eh...' Jules geeft de bal aan Anne. 'Sorry, ik ben een beetje ongezellig. Ik kom Nona alleen even halen. We zijn met het eiland bezig en, eh...'

'Ah, jullie hebben mijn raad nodig,' lacht Nona.

'Nou zie ik eens hoe belangrijk mijn nicht is,' zegt Monique. 'Ga jij maar lekker met Jules mee, hoor meid. Je hoeft niet de hele tijd je tante gezelschap te houden. En we hebben tijd genoeg om van elkaar te genieten.'

Nona kijkt naar haar zak drop. 'Mond open en ogen dicht,' zegt ze tegen Jules. En dan stopt ze een hand drop in zijn mond. 'Wat een gigazak, hè? Ik ga meteen uitdelen.' En ze neemt de drop mee.

Jules fluit Frodo dat hij moet komen. Nu moet ik het zeggen, denkt hij als ze over de camping lopen. Voordat we bij het vlot zijn.

'Je hoeft niet naar het eiland, hoor,' zegt Jules als zijn mond leeg is. 'Het was eigenlijk een smoes om je weg te krijgen. Ik, eh...'

'O, ik snap het best,' zegt Nona. 'Je wilde gewoon een kus. Groot gelijk, we hebben zo lang niet gezoend. Soms vergeet ik dat gewoon, maar ik wil het heus wel, hoor. Ik wil jou heus wel zoenen...'

'Nee eh, dat is het niet,' zegt Jules. 'Ik...'

Nona legt een hand op zijn mond. 'Niet zo bescheiden, je mag er best om vragen. We hebben toch verkering? Hè Frodo? Jules mag best om een kus vragen.' Ze pakt Jules vast en duwt hem met zijn rug tegen de boom.

Help, denkt Jules. Het gaat helemaal fout! Wat is hij toch een loser. En voordat Nona hem kan zoenen, rukt hij zich los.

'Niet doen!' Maar Nona duwt hem weer tegen de boom. 'Wat nou niet doen, hè? Ben je soms bang dat ze ons zien?'

'Nee!' zegt Jules als haar gezicht dichterbij komt. 'Ik wil helemaal niet met je zoenen! Het is uit! Snap dat dan!'

Wat? Nona laat Jules los. Ze kijkt hem geschrokken aan.

'Je meent het,' stamelt ze. 'Je meent het echt...'

'Sorry,' zegt Jules. 'Ik had het zo niet moeten doen.' Maar Nona hoort niet eens wat hij zegt. 'Je hebt het uitgemaakt...' Ze draait zich om en holt snikkend terug.

Jules kijkt haar na. Verdomme, waarom heeft hij het nou zo stom gedaan? Hij blijft bij de boom staan. Frodo voelt dat er iets is en likt hem. 'Je baasje is een sukkel, Fro,' zegt Jules, 'de grootste sukkel van Timboektoe...'

'Wat is er met jou?' Nona's moeder kijkt geschrokken naar haar dochter, die huilend het veldje op komt rennen.

'Het is uit...' Nona valt haar moeder snikkend in de armen. 'Hij heeft het uitgemaakt...'

'Wat zeg je nou? Heeft Jules het uitgemaakt? Meisje toch, en je was nog wel zo verliefd. Kom maar even bij me zitten.' Haar moeder neemt Nona mee naar de voortent en trekt haar op schoot.

Monique streelt Nona's haar. 'Dat is naar, hè? En we zouden morgen nog wel een leuke dag hebben met zijn allen.'

'Het is gemeen,' snikt Nona. 'Hij zei het ineens. Gisteren was het nog hartstikke leuk en nu is het ineens uit. Waarom doet hij zo gemeen?'

'Wat kunnen jongens toch stom zijn,' zegt Monique.

'Meisjes zeker niet?' zegt vader. 'Nou, ze hebben mij heel wat keren laten zitten met een gebroken hart.'

'Hier, drink een slokje.' Haar moeder houdt Nona een glas cola voor.

'Ik hoef niks,' huilt Nona. 'Ik ga ook niet meer naar het eiland. Ik blijf de hele vakantie in mijn tent. Ik wil hem nooit meer zien. Het is zo gemeen. Ik wil nooit meer verliefd worden.'

'Dat denk je nu,' zegt Monique. 'Het gaat wel weer over. Een paar dagen voel je je belabberd, maar dan is het ergste voorbij en dan vind je het weer leuk op de camping.'

'Zo is het,' valt haar vader haar bij. 'Er zwemmen meer vissen in de zee.'

'Nee,' zegt Nona. 'Ik wil nooit meer verkering. Ik vind het niet meer leuk hier. Ik wil naar huis.'

'Naar huis? Het is ook onze vakantie en die van Anne.'

'Ja,' zegt haar moeder. 'Papa en ik moeten de rest van het jaar werken.'

'We kunnen toch wel naar een andere camping gaan?' zegt Nona.

'Dat kan niet. Ik snap dat het vervelend voor je is, maar daar hebben wij geen geld voor. Weet je wel wat een nachtje op een camping kost? Hier hebben we voor de hele vakantie vooruitbetaald.'

'Ik vind het stom,' huilt Nona. 'Ik vind alles stom.' Ze staat op en holt huilend haar tent in.

Ze valt op haar luchtbed neer. Ze pakt de foto van Jules die naast haar kussen ligt en geeft hem een zwieper. 'Ga jij maar weg, loser!' roept ze. 'Ik hoef jou niet meer te zien.' Ze neemt zich voor echt de hele vakantie in haar tent te blijven. Dan gaan haar ouders vanzelf wel naar huis. Ze heeft ook geen zin om het aan haar vriendinnen te vertellen. Ze merken het morgen wel. Maar is dat wel eerlijk? Nona denkt aan Brian. Moet die het niet weten? Ze heeft net tegen hem gezegd dat hij haar beste vriend is. 'Ik durf jou alles te vertellen,' zei ze. En nou heeft Jules het uitgemaakt, zoiets gemeens, en dat krijgt Brian dan niet te horen. Misschien heeft ze ook wel zin om met hem te praten. Brian is altijd lief voor haar. Hij zal ook wel kwaad op Jules zijn. Wie doet nou ook zoiets? Maar waar moet ze Brian vinden? Ze heeft geen zin om naar het eiland te gaan. Dan ziet ze Jules vast ook. Dank je feestelijk. Misschien is Brian wel helemaal niet op het eiland. Anders zat hij altijd in de grot, maar na die misser wil hij daar niet meer naartoe. Ze pakt haar mobiel en kiest zijn nummer in het geheugen.

Brian, waarom neem je nou niet op? denkt ze. Ze krijgt zijn voicemail. 'Hoi, met mij,' zegt ze. 'Ik, eh... Het is uit...' En dan begint ze te huilen. Nona drukt haar mobiel uit. Ze slaat haar handen voor haar gezicht. En ze dacht nog wel dat het altijd aan zou blijven. Ze heeft het al haar vriendinnen thuis gemaild. Ze heeft zelfs een foto van Jules naar haar vriendinnen ge-sms't. *Wat een lekker ding*, schreven ze. Als ze dit horen! Wat een waardeloos joch. Ze wist dat jongens wel eens gemeen konden zijn, maar van Jules had ze dat nooit gedacht...

Nona ligt op haar luchtbed te huilen als Monique haar tent in komt. 'Hé meissie, kom eens bij me.'

Nona gaat rechtop zitten. 'Ik heb een idee,' zegt Monique. 'Heb je soms zin om met mij mee naar de Ardèche te gaan?'

'Jij gaat toch paardrijden met Hans?'

'Ja, maar ik denk dat Hans het heel gezellig vindt als we met zijn drieën gaan. Lijkt dat je wat? Paardrijden door de bergen en langs de rivier. Rugzak bij ons met een tentje erin en dan 's avonds een plekje zoeken om te slapen. En tegen de tijd dat je terugkomt, voel je je alweer een stuk beter.'

Wat is Monique toch een schat. Nona slaat een arm om haar tante heen. 'Dat wil ik wel,' zegt ze. 'Maar het mag vast niet van papa.'

'Je vader vindt het goed,' zegt Monique.

'Dus het mag?' Nona is een stuk opgeluchter.

'Dan wachten we niet tot overmorgen,' zegt Monique. 'Morgenochtend vroeg rijden we hier dan al weg. Gezellig, hè? Pak jij maar gauw je rugtas in.'

Nona komt overeind. Ze gaat naar de Ardèche. Weg van Jules, weg van de camping! Het is net alsof ze weer lucht krijgt.

Brian zit aan de rivier. Hij gooit steentjes in het water. Hoe lang moet hij nog op de camping blijven? Dat houdt hij nooit vol zonder grot. Volgend jaar wil hij echt ergens anders heen. Hij hoort zijn mobiel piepen. Hij heeft geen zin om te kijken wat er is. Het is vast Jules die wil zwemmen. Het is veel beter als hij Jules voorlopig niet meer ziet. Na het gesprek met Nona voelde hij zich zo'n bedrieger. Hij zet hem uit zijn hoofd, dat heeft hij zich voorgenomen. Als zijn mobiel voor de tweede keer piept, wordt hij toch nieuwsgierig. Hij heeft een bericht op zijn voicemail. Brian hoort Nona. Wat? Is het uit? Heeft Jules het uitgemaakt met Nona? Maar dat betekent dat Jules geen verkering meer heeft. Hé, wat ben je voor loser? Brian schrikt zelf van zijn gedachten. Wees nog een beetje blij, goed? Je liefste vriendin heeft liefdesverdriet en jij denkt alleen maar aan jezelf. En het slaat trouwens nergens op, want Jules is geen homo en het is zo weer aan tussen die twee. Nu denkt Brian aan Nona. Wat rot voor haar.

Nona is net bezig haar rugtas te pakken, als Brian haar tent in komt.

'Hé!'

Als ze Brian ziet, moet ze weer huilen. 'Hij heeft het uitgemaakt.'

'Je hoeft niet zo verdrietig te zijn,' troost Brian. 'Iedereen heeft wel eens ruzie. Weet je nog dat het uit was tussen Justin en Isa? Moet je die twee nou zien. Zo gaat het met jullie ook, over een paar dagen is het weer aan. Jules had misschien een rotbui. Dat komt door dat gedoe met zijn vader. Waarschijnlijk heeft hij er nu alweer spijt van, wedden?'

Nona schudt haar hoofd. 'We hadden helemaal geen ruzie, dat is juist zo gemeen. Hij zei het ineens. Zomaar: het is uit. Hij schreeuwde het bijna.'

Brian kijkt naar Nona. 'Heb je echt niet iets gezegd waardoor hij boos werd?'

'Nee,' zegt Nona.

'Dan was het een opwelling. Wacht maar af, zo meteen staat hij voor je tent. Ik ken Jules.'

'Je vergist je,' zegt Nona. 'Jij kent niet de Jules die zo gemeen is. Hij had het helemaal uitgedacht. Hij kwam hier speciaal naartoe om het te zeggen. En hoe hij het zei, was zo vals.'

Brian kijkt voor zich uit. 'Daar snap ik niks van,' zegt hij. 'Helemaal niks.'

8

Jules ligt al vroeg wakker. Hij moet steeds aan Nona denken. Hij zal haar best missen. Dat had hij gisteravond al toen hij in bed lag. Meestal stuurden ze elkaar dan nog een lief sms'je, maar nu kwam er niks natuurlijk. En als hij naar zijn vader is geweest, zal hij het ook wel voelen. Dan is er niemand die hem troost als hij verdrietig is. Alleen de gedachte al dat er iemand is die steeds aan je denkt, is best fijn. Maar toch voelt hij dat het goed is dat hij het heeft uitgemaakt. Hij was niet meer verliefd, dan kan het toch ook niet meer? Hij baalt er zelf ook van, maar het is zo. Het verliefde gevoel is weg. Eigenlijk is dat het enige wat er aan de hand is. Verder vindt hij Nona een topmeid. Had dat dan tegen haar gezegd, man, dan had ze niet huilend hoeven wegrennen. Hij wilde graag vrienden met haar blijven, maar dat kan hij nu echt wel vergeten. Nona is voorgoed op hem afgeknapt, dat kan niet anders. Dat zou hij zelf ook zijn als zij het zo had uitgemaakt. Hij had nooit van zichzelf gedacht dat hij zo bot kon zijn. Voor de vakantie had hij nog zoveel praatjes toen een jongen uit zijn klas zijn verkering uitmaakte terwijl ze met een groepje aan het msn'en waren. *Het is uit, ik vind er niks meer aan*, schreef hij. Iedereen kon het lezen.

Dat doe je toch niet zo, schreef Jules en daar was iedereen het mee eens. Het is maar goed dat ze hem gisteren niet hebben gezien. Hij snapt er zelf ook niks van waarom hij zo wreed was. Een vlaag van verstandsverbijstering zeker. De anderen zullen ook wel op hem afknappen als ze dit horen. Nona vertelt het echt wel door.

Laat nou maar zitten, denkt Jules. Het is nou eenmaal gebeurd. Hij zet zijn mp3-speler aan, maar het blijft door zijn hoofd malen. Het wordt hem steeds duidelijker en ineens weet hij het. Het is stom wat hij heeft gedaan, maar als hij er niks aan doet, is hij pas echt een loser. Hij moet naar haar toe gaan en haar zeggen dat het hem spijt. Dat bedenkt hij nu wel, maar is dat verstandig? Als ze hem nu ziet, wordt ze vast woedend. Het zit er dik in dat ze niet eens wil luisteren naar wat hij te zeggen heeft. En hij kan ook niet een paar dagen wachten. Zoiets moet je meteen doen. Ineens weet hij het. Hij gaat een briefje in haar tent leggen. Jules staat op en zoekt pen en papier. Hij kijkt op zijn horloge. Het is zeven uur, wel een beetje een maffe tijd om een briefje te schrijven, maar hij kan nou toch niet meer slapen. Hij moet het oplossen, anders blijft het maar in zijn kop zitten.

Frodo kijkt ook al verbaasd op dat hij zo vroeg is. 'Het baasje heeft wat goed te maken, Fro,' zegt hij. 'Wat zal ik schrijven?' Jules houdt zijn hand boven het papier. *Lieve Nona*, schrijft hij. Nee, dat is niks. Als hij zo begint, denkt ze dat hij weer verkering met haar wil en dan geeft hij haar valse hoop, want hij heeft er echt geen spijt van dat hij het uitgemaakt heeft. Alleen van de manier waarop hij het gedaan heeft, dat moet duidelijk zijn. Hij verscheurt het vel en begint opnieuw. Het hoeft geen lange brief te zijn, een paar regels, dat is genoeg. *Het spijt me dat ik zo bot was*, schrijft hij. *Dat verdien je niet. Sorry, Jules.* Hij leest het nog een keer over. Het lijkt hem precies goed. Als hij verstandig is, legt hij het nu in haar tent. Hij weet zeker dat Nona nog slaapt en haar ouders zijn ook nooit vroeg op. Hij zit er echt niet op te wachten om ze tegen te komen. Misschien jaagt haar vader hem wel weg als hij hem bij Nona's tent ziet. Haar ouders zijn natuurlijk ook kwaad op hem.

Jules ritst zijn tent open. Het wordt vast een mooie dag, de lucht is helemaal blauw, er is niet één wolkje te bekennen. Frodo rent achter Jules aan. Maar ineens bedenkt Jules zich. 'Jij moet terug, Fro.' En hij houdt de tent voor hem open. Met zijn staart tussen zijn poten gaat Frodo de tent in.

'Ja, ik weet het wel, je bent niet gewend dat je niet mee mag, maar hier kan ik je echt niet bij gebruiken.'

Hij ziet het al voor zich: hij doet alle moeite om zo geruisloos mogelijk Nona's tent open te ritsen en dan duikt Frodo op haar luchtbed en begint hij haar te likken.

Jules loopt over de camping. De meeste mensen slapen nog. Als hij bij Nona's veldje komt, sluipt hij op zijn tenen door het gras. Hij heeft geluk: de rits van haar tent staat een eindje open. Als hij heel stilletjes doet, wordt ze vast niet wakker. Eerst moet Jules langs de tent van Nona's ouders. Hij past heel goed op waar hij loopt. Het is echt iets voor hem om nu over een scheerlijn te struikelen. Jules kijkt om zich heen. Als hij zeker weet dat niemand hem ziet, bukt hij voor Nona's tent. Hij voelt zich net een stalker, maar het is voor het goede doel. Hij steekt zijn hoofd naar binnen en wil het briefje neerleggen, maar dan schrikt hij. Waar is ze? Nona is helemaal niet in haar tent. Haar luchtbed en haar slaapzak ziet hij ook niet. En haar rugzak, waar is die gebleven? Jules wordt spierwit. Ze is weg! Haar mp3-speler, alles heeft ze meegenomen. Alleen zijn foto ligt verkreukeld in een hoek van de tent. Wat verschrikkelijk. Ze is zo in de war geraakt dat ze er vandoor is gegaan.

Jules zit daar maar, in de opening van Nona's tent, die er heel verlaten uitziet. Hij weet niet wat hij moet beginnen, maar hij kan hier ook niet blijven zitten. Zo meteen worden Nona's ouders wakker, wat moet hij dan zeggen? Hij komt gauw overeind en rent het veldje af.

Hij is op het pad als iemand zijn arm vastgrijpt.

'Betrapt!' Hij kijkt in de gezichten van Romeo en Stef.

'Ja, dat zien wij nou eens, hè? Je hebt bij je liefje geslapen. Dat noem ik wel moedig, zo vlak naast haar ouders. Wat zeg jij, Stef?'

Stef is het met zijn vriend eens. 'Heel moedig. Dan moet je wel een echte professional zijn, zoiets zouden wij zelfs niet durven.'

Ze kijken naar Jules. 'Hij ziet er wel een beetje uitgeblust uit, vind je niet? Die zal niet veel hebben geslapen. Dat hadden we nooit van jou gedacht, Jules. Zo zie je maar weer, anders hadden we onze voorlichtingscursus op je uitgetest,' zegt Romeo. 'Het zijn maar een paar lesjes, maar ze kunnen je een heleboel ellende besparen, jongen.'

'Ja,' zegt Stef. 'Je weet toch wat daarvan kan komen, hè, als je met een meisje vrijt. Kleine Juultjes.'

'En kleine Nonaatjes,' lacht Romeo. 'Ik dacht dat het Love Island klaar was. Maar nu ik dit zie moeten we er maar een crèche bouwen.'

'Hout genoeg,' zegt Stef.

'Het is niet wat jullie denken,' zegt Jules. 'Ik heb helemaal niet bij Nona geslapen. Ik wilde iets in haar tent leggen.'

'Haha, dat vind ik wel een heel goede smoes, zeg. Nee Jules, daar trappen wij niet in.'

'Ga dan zelf kijken,' zegt Jules. 'Nona is er helemaal niet.'

'Ze is er niet?' vraagt Romeo.

'Ze is naar de vroedvrouw,' lacht Stef. 'Wel een snelle zwangerschap. Wat heb jij voor turbozaad?'

'Heel grappig,' zegt Jules. 'Maar zo leuk is het allemaal niet, want Nona is echt weg.'

'Wacht even, Jules,' zegt Romeo. 'Nou snap ik het niet meer. Nona is echt weg? Ze ligt niet in haar tent?'

'Nee, en ze heeft al haar spullen meegenomen.'

'Het lijkt wel een detective,' zegt Stef. 'Nona is dus spoorloos en wij betrappen jou bij haar tent. Dat is wel heel verdacht. Als we dat tegen de politie zeggen, word je meteen ingerekend. Ik denk dat je ons toch even moet uitleggen hoe dit zit.'

'Ik heb Nona vermoord, nou goed,' zucht Jules geërgerd. 'Goed dan, het is uit tussen ons. Ik heb het gisteren uitgemaakt. Ik was nogal bot, daarom wilde ik een briefje in haar tent leggen. En toen zag ik dat ze weg was.'

Nu dringt de ernst van de situatie tot Romeo en Stef door.

'Weten haar ouders dat?' vraagt Stef.

'Ik denk het niet,' zegt Jules. 'Waarschijnlijk is ze in de war geraakt en weggelopen.'

'Nou, dat heb je dan wel heel knap gedaan,' zegt Romeo. 'Zo meteen ligt ze ergens in de rivier.'

Jules raakt in paniek bij die gedachte.

'We zullen iets moeten doen,' zegt Stef. 'We moeten haar zoeken voordat er iets ergs gebeurt.'

Jules holt weg.

'Wat ga je doen?' roept Stef.

'Frodo halen. Frodo moet haar zoeken.'

'Haal Kars ook maar uit zijn nest,' roept Romeo.

'Moeten Nona's ouders het niet weten?' vraagt Stef.

'Die zou ik er nog even buiten laten,' zegt Romeo. 'Die mensen raken natuurlijk meteen in paniek als ze dit horen. Wie weet vinden we haar zo.'

Anders duurt het altijd uren voordat iedereen zijn bed uit is, maar nu staat de hele crew binnen tien minuten gewassen en aangekleed om Jules heen. Alleen Edgar en Brian slapen nog.

'Nona is midden in de nacht weggelopen...' De wildste verhalen doen de ronde.

'Mag het even centraal?' zegt Kars. 'Wanneer heb jij Nona voor het laatst gezien, Jules?'

'Gisteren aan het eind van de middag.'

'Wie heeft haar daarna nog gezien?'

'Ik niet,' zegt Isa. 'Ze was gisteravond ook niet op het Love Island, maar dat vond ik niet zo raar omdat haar tante er was.'

'Dus niemand van ons heeft haar na de middag nog gezien.' Kars kijkt zijn vrienden aan.

'Misschien Edgar of Brian,' zegt Romeo. 'Maar die gaan we dus niet wakker maken, want dan hoort hun moeder het en daarna weten de ouders van Nona het ook.'

'Ik ben het met Romeo eens,' zegt Kars. 'We houden het nog even voor onszelf. Maar wat we wel weten, is dat ze gisteravond nog gewoon thuis heeft gegeten, anders hadden we dat wel van haar ouders gehoord. Dus ze moet vannacht zijn vertrokken.'

'Dat lijkt me niet logisch,' zegt Justin. 'Nona is helemaal geen held. Ze gaat echt niet midden in de nacht langs de weg lopen, dat weet ik zeker.'

'Ze was vast helemaal in de war,' zegt Isa. 'Dan weet je niet wat je doet. Ik stel voor dat we ons opsplitsen. Waar kan ze naartoe zijn? Als we dat nou eens bedenken.'

'Wat zou je zelf doen als je wegliep?' vraagt Justin.

'Ik zou teruggaan naar Nederland,' zegt Stef.

'Lopend?'

'Nee leukerd, liftend natuurlijk.'

'In dat geval is ze dus naar de grote weg gelopen,' zegt Kars. 'Als we ervan uitgaan dat ze bang is, heeft ze waarschijnlijk gewacht tot het licht was. Dan kan ze nog niet zo ver zijn. Als we geluk hebben, staat ze er nog.'

'Stef en ik gaan wel naar de grote weg,' beslist Romeo.

'We houden contact, jongens,' zegt Kars. 'Mobiel aan dus.'

'Op de mijne zit geen beltegoed meer,' zegt Stef.

'Dat zal wel weer,' zucht Romeo. 'Ik sta aan.'

'Heeft iemand van jullie Nona trouwens al geprobeerd te bellen?' vraagt Kars.

'Ja, natuurlijk,' zegt Isa. 'Dat heb ik meteen gedaan toen ik het hoorde, maar haar mobiel staat uit. En haar voicemail heeft ze ook uitgezet.'

'Ze wil dus niet gevonden worden,' zegt Annabel. 'Dat is wel duidelijk.'

'Nou jongens, als jullie ons niet meer zien, zijn we met een paar mooie meiden meegelift.'

'Ja, hoor,' zegt Isa. 'Als jullie eraan komen, ontstaat er meteen een file. Allemaal vrouwen achter het stuur die jullie een lift willen geven.'

'Jij begrijpt het,' zegt Romeo.

'Ga nou maar.' Kars geeft hem een duw. 'Waar kan ze nog meer zijn?'

'Ik kano de hele rivier af,' zegt Justin. 'Misschien ligt ze ergens te pitten of zie ik haar op een berg lopen.'

'Ik ga met je mee,' besluit Kars.

'Dan gaan Annabel en ik naar het dorp,' zegt Isa. 'Je hebt kans dat ze bij het busstation staat. En anders vragen we daar aan de chauffeurs of ze haar hebben gezien.'

'Ik kan Frodo meenemen naar haar tent,' zegt Jules. 'En hem van daaruit laten zoeken.'

'Wat denk je nou?' protesteert Kars. 'Als die hond bij haar tent gaat snuffelen, worden haar ouders natuurlijk wakker. Laten we eerst zelf kijken of we haar vinden. Als ze er echt niet is, kunnen we dat altijd nog proberen.'

'En ik dan?' vraagt Jules. 'Waar willen jullie dat ik heen ga?'

'Blijf jij alsjeblieft hier.' Annabel pakt Jules bij zijn arm. 'Jij lijkt me nou niet degene die haar moet vinden.'

'Nee,' zegt Isa. 'Ik denk dat ze dan helemaal niet meer terugkomt. Wat had je nou ook alweer voor charmants gezegd toen je het uitmaakte?'

Jules wordt rood. 'Het was niet bepaald aardig,' mompelt hij.

'Dat mag je wel zeggen. Als jij het niet normaal kunt uitmaken, moet je nooit meer verkering nemen,' zegt Isa kwaad.

'Hou nou maar op,' zegt Kars. 'Het gaat nu om Nona. Als ze vanochtend niet is gevonden, moeten we haar ouders wel waarschuwen.'

'En de politie. Kom op.' Isa trekt Annabel mee en vertrekt.

Jules blijft alleen achter. Hij voelt zich verschrikkelijk. Stel je voor dat Nona echt is gaan liften en dat een of andere ploert haar heeft meegenomen. Het ene rampscenario na het andere gaat door zijn hoofd. Als er echt iets met haar gebeurt, is het zijn schuld. Als dat zo is, kan hij beter Timboektoe verlaten, dan is er niemand meer van de crew die met hem wil omgaan. Jules loopt maar over de camping te ijsberen. Hij heeft geen rust om te gaan zitten. Ineens gaat er een schok door hem heen. Daar heb je de ouders van Nona! Hij duikt snel achter een boom. Hij ziet ze samen naar het washok lopen, met Anne. Jules voelt zich schuldig als hij de vrolijke gezichten ziet. Jullie moesten eens weten, denkt hij. Even aarzelt hij nog. Is het niet zijn plicht om het hun te vertellen? Maar dan denkt hij aan de woorden van zijn vrienden: *voorlopig houden we haar ouders erbuiten.*

Brian komt het washok uit. Hoe moet hij deze dag nou weer doorkomen? Hij wou dat hij zoals Edgar was en ook zo lang kon uitslapen. Soms komt zijn broer pas om half twaalf zijn tent uit, maar dat krijgt hij echt niet voor elkaar. Het zou hem wel goed uitkomen, dan duurde de dag niet zo lang. Vanochtend was hij ook weer om zes uur wakker. Hij heeft Nona uitgezwaaid en daarna heeft hij nog een paar uurtjes liggen lezen. Ze was alweer wat rustiger. Het is ook zo leuk wat ze gaat doen. Zelf baalt hij er wel van dat ze er niet is, maar voor haar is het fijn. Lekker een weekje met haar tante paardrijden. Vanochtend vertelde ze dat ze 's nachts wild gaan kamperen. Dat zou hij ook wel willen. Wat moet hij al die weken op de camping? En ze gaan ook niet eerder terug. Zijn moeder zou het nog wel doen als hij het vroeg, maar dan krijgt ze ruzie met Edgar. Die vindt het hier zo fantastisch!

Brian loopt verveeld over de camping. Waar is iedereen trouwens? Ineens ziet hij Jules bij de steiger. Brians hart slaat over. Dat heeft hij telkens als hij Jules ziet. Hij gaat expres niet naar hem toe. Als de anderen erbij zijn, durft hij het nog wel, maar hij wil voorlopig niet alleen met Jules zijn. Stel je voor dat Jules iets aan hem merkt.

De laatste keer dat ze samen waren, was in de grot. Hoe zou het daar nu zijn? Hij is er al in geen dagen geweest. Dat is in al die jaren nog nooit gebeurd.

Zijn moeder is het er helemaal niet mee eens dat hij niet meer naar de grot gaat.

'Je bent veel te streng voor jezelf,' zegt ze steeds. 'Je hoeft jezelf toch niet te straffen omdat je je in die muurschildering hebt vergist? Denk er maar eens goed over na.' Misschien heeft ze wel gelijk en moet hij gewoon weer gaan. Hij stelt zich voor hoe het zou zijn als hij nu naar de grot ging. In zijn gedachten ziet hij zichzelf door de grot lopen. Hij voelt zich meteen een stuk beter. Maar dan denkt hij aan de muurschildering. Wat een afgang! Meteen komt het vervelende gevoel terug. Zijn moeder heeft makkelijk praten, maar hij kan er helemaal niet heen. Als hij dan toch niks te doen heeft, kan hij beter naar het eiland gaan. Er moet nog zoveel gebeuren en Nona kan nu ook niet meer helpen. Misschien zijn de anderen er ook. Brian loopt naar het water, maar dan ziet hij het vlot liggen. Hij gelooft niet dat ze naar het eiland zijn gezwommen. Dat hij nou altijd zo fanatiek is. Hij gebruikt het vlot haast nooit. Edgar trouwens ook niet. Ze houden heel erg van zwemmen. Hij verstopt zijn kleren onder een struik en duikt het water in.

Wat duurt het lang! Jules houdt het bijna niet meer uit. Staat zijn mobiel eigenlijk wel aan? Dat is lekker handig. Zo meteen hebben ze Nona allang gevonden en konden ze hem niet bereiken. En hij maar lopen stressen. Hij haalt zijn telefoon uit zijn zak. Jammer, hij staat wel aan. Hij luistert zijn voicemail af, maar er is geen bericht. Jules zucht. Het is al tegen twaalven. Het ziet er niet goed uit. Hij wil zijn mobiel opbergen, als de Timboektoe-ringtone gaat.

Hij ziet in het schermpje dat het Kars is. Hij voelt zijn hart kloppen.

'En?' roept hij.

'Ze is spoorloos,' zegt Kars. 'Justin en ik varen terug.'

'En de anderen dan? Misschien hebben die haar wel gevonden.'

'Was het maar waar. Ik heb ze al gesproken. Het ziet er niet goed uit. We hebben op het eiland afgesproken. We zullen toch moeten beslissen wat we gaan doen, of hebben Nona's ouders het al gemerkt?'

'Nee, volgens mij niet. Ik loop er wel even heen.' Vanachter de struiken gluurt hij naar het veldje.

'Ze zitten heel rustig voor hun tent te lezen.'

'Die denken dus dat Nona nog slaapt,' zucht Kars. 'Nou, dat

zal een harde slag voor ze zijn. Kom maar naar het eiland, Justin en ik varen er nu heen. We zijn er al bijna. Later.' En de verbinding wordt verbroken.

Jules kijkt naar de ouders van Nona. Wat erg als ze er straks achter komen dat Nona weg is. Hij voelt zich machteloos. Hij kan alleen maar aanbieden dat hij met Frodo gaat zoeken, meer niet. Waarom is hij ook zo stom geweest? Alsof hij al niet genoeg ellende aan zijn kop heeft met zijn vader. Van onmacht geeft hij een trap tegen een steen. 'Loser,' zegt hij tegen zichzelf. 'Loser die je bent!'

Met tegenzin loopt hij naar het vlot.

Tegelijk met de anderen komt Jules bij het vlot aan.

'Wat een zoektocht!' Romeo en Stef laten hun fiets in het gras vallen. 'En dat allemaal voor niks. Weet je hoe ver wij hebben gefietst? Minstens vijftien kilometer, en dan wel tegen de berg op, hè.'

'Nee, dan wij,' zegt Isa. 'We hebben het hele dorp uitgekamd.'

'Moeten we niet op Kars en Justin wachten?' vraagt Annabel als Stef de motor van het vlot aanzwengelt.

'Nee,' zegt Jules. 'Die varen er zelf heen.'

'Nou nou,' zegt Brian als ze aanleggen. 'Mij hier een beetje in mijn eentje laten buffelen, hè?' Hij wijst naar Kars en Justin. 'Moet je zien, de heren hebben een kanotochtje gemaakt. Hebben jullie niks beters te doen? Ik dacht dat de klus zo'n haast had?'

'Niks kanotochtje,' zegt Kars en hij legt de peddels voor het waarzeggershutje. 'We hebben naar Nona gezocht.'

'Dan kunnen jullie lang zoeken.' Als Brian zijn zaag weer oppakt, komen de anderen er ook aan.

'Brian wist ervan,' zegt Kars.

'Wat?' Ze kijken Brian met open mond aan. 'Dus jij weet het?'

'Ja,' zegt Brian. 'Ze heeft het me gisteren verteld. Ze was nogal in de war dat het zo plotseling uit was. En toen zei ze dat ze weg zou gaan. Ze wilde het jullie nog vertellen, maar dat kon ze gewoon niet.'

'En dat vond jij goed?' vraagt Isa. 'Je hebt haar gewoon laten gaan?'

Brian knikt. 'Ik zie niet in waarom niet.'

'Niet geprobeerd haar om te praten? Welnee. Ga maar lekker, Nona, veel plezier. Ben je gek of zo?' Isa tikt tegen haar voorhoofd.

'Het leek me beter voor haar,' zegt Brian. 'Ze was helemaal overstuur. Zo zie je haar hier toch niet rondlopen? Ik kan wel merken dat jij haar niet meer hebt gezien. Ze was helemaal over de zeik, hoor. Had je soms gewild dat ze op het feest kwam?'

'Ik geloof toch dat jij een beetje maf bent,' zegt Romeo. 'Zoiets pik je toch niet? Wat kan er wel niet allemaal gebeuren?'

'Nou, zo gevaarlijk is het niet,' zegt Brian. 'Ze stort heus niet van een berg af.'

'Er kan van alles gebeuren,' zegt Kars. 'Heb je daar nou helemaal niet aan gedacht?'

Nu vallen ze Brian allemaal aan.

'Hallo,' zegt Brian, 'jullie hoeven niet tegen mij te beginnen. Het was niet mijn idee, hoor.'

'Nee, maar je had het uit haar hoofd moeten praten.'

'Doe niet zo belachelijk, jullie,' zegt Brian. 'Natuurlijk kan er wat gebeuren. Dat kan hier ook. Ik kan zo meteen mijn duim er wel af zagen. Als je zo gaat denken...'

'Ik weet niet of het tot je botte kop doordringt,' zegt Kars, 'maar als er iets met Nona gebeurt, dan ben jij wel verantwoordelijk.'

'Ik?' Brian lacht hem midden in zijn gezicht uit.

'Ja,' vallen de anderen Kars bij.

'Ik geloof dat jullie een beetje gek zijn geworden,' zegt Brian. 'Je kunt hier beter een hutje voor een psychiater bouwen in plaats van die crêperie. Dan kunnen jullie daar naartoe.'

'Wat is hier allemaal aan de hand?' vraagt Edgar, die druipend uit het water klimt.

'Vraag dat maar aan dat leuke broertje van je.' Kars is woedend.

'Ze zijn kwaad dat Nona weg is,' zegt Brian. 'Ooit zoiets mafs gehoord?'

'Zo erg is het toch niet dat ze er niet met het feest is,' zegt Edgar.

'Het gaat niet om het feest. Ik had haar moeten tegenhouden. Nou, mooi niet. Nona galoppeert vanmiddag lekker op een paard langs de rivieroever.'

'Mij lijkt het heerlijk,' zegt Edgar. 'Ik wou dat ik zo'n tante had die me een weekje meenam.'

'Tante!' roepen ze in koor. 'Is ze met haar tante mee?'

Nu begint er bij Brian iets te dagen. 'Dáárom hebben jullie haar gezocht. Jullie dachten dat ze was weggelopen... Nou snap ik waarom jullie zo maf tegen mij deden.' En dan begint hij heel hard te lachen.

9

'Kijk nog eens op je mobiel,' zegt Valerie.

Voor de zoveelste keer haalt Anouk hem tevoorschijn. 'Nee, nog niks. Onze pup heeft nog steeds niks laten horen. Het duurt nu wel een beetje erg lang. Als onze Teletubby echt niks laat horen, moeten we zelf maar even contact opnemen, vind je niet?'

'Ja,' lacht Valerie. 'We laten hem niet zomaar in de steek. Daarvoor houden we veel te veel van hem. Nu mag ik een sms'je sturen, goed?'

'Nee, ons baby'tje is heel stout. Hij beantwoordt onze sms'jes toch niet. Ik weet iets veel beters. We gaan hem zelf opzoeken.'

'Ja, het is echt een dag om naar zo'n stomme camping te gaan.'

'Kom mee.' Anouk pakt haar helm. 'We gaan op mijn scooter.'

Ze lopen naar buiten en duwen de scooter de garage uit.

'Waar gaan jullie heen?' vraagt hun vader.

'Naar Timboektoe,' zegt Anouk.

'Doe mij een lol. Ik vind alles best, maar daar gaan jullie niet heen. Het is toch geen gezicht als jullie je op een andere camping gaan vermaken. Mooie reclame. Als we nou volgeboekt waren, maar er zijn maar drie staanplaatsen bezet.'

'Ja, maar pap, wij gaan er expres heen. Je snapt toch wel waarvoor? We gaan juist reclame voor onze camping maken. We vertellen iedereen hoe leuk het op Paradiso is. Dan komen ze vanzelf hier naartoe.'

'Voor mij hoeven jullie dat niet te doen. Het is een concurrent van niks.'

'Laat ze toch als ze daar zin in hebben,' zegt hun moeder. 'Die meiden kunnen toch niet de hele dag hier rondhangen? Er is niks voor ze te beleven. Ik verveel me ook dood.'

'Jouw paard is er zo, wedden?' Pa kijkt naar zijn dochters. 'Nou ja, als jullie er zo nodig heen moeten, gaan jullie je gang maar.'

'Dank je, pappie, je bent een schat.' Ze geven hun vader een kus. Voordat hij zich kan bedenken, start Anouk de scooter en ze rijden weg.

'Is dit het?' vraagt Valerie als Anouk stopt. 'Wat een troep, zeg. Het lijkt wel uit de middeleeuwen.' Grinnikend lopen ze de camping op. 'Ze hebben niet eens een tennisbaan. Moet je die paar slome kano's nou zien liggen. Dat is alles wat ze hebben. En maar suf peddelen over de rivier. Nou nou, wat leuk.'

'Nee zusje, je vergist je. Ze hebben nog meer, namelijk een Love Island,' zegt Anouk.

'Ja, lof met ham en kaas,' lacht Valerie. Ze kijkt de camping rond. 'Waar is dat joch? Ik ga hier niet uren lopen zoeken, hoor.'

'Waarom zouden we?' Anouk wijst naar de kantine. 'Zullen we binnen even vragen waar onze pup uithangt?'

'Volgens mij is daar niemand. Ik zie alleen een paar halfgare kinderen achter een computer. Hebben ze ook, een computer.'

'Zonder internet, zeker,' lacht Anouk, 'dat is te duur.' Ze kijkt de kantine in.

'Zie je iemand?'

'Ik zie alleen een oud vod.' Anouk wijst op oma. 'Moet je kijken hoe dat mens er uitziet. Die spijkerbroek heeft ze zeker op de markt gekocht. Dat model! Het is echt geen duur merk, hoor.'

'Dat kunnen ze ook niet betalen,' gniffelt Valerie. 'Zo te zien kunnen ze hier niks betalen. Dat de mensen hier nog willen kamperen, dat snap je toch niet? Moet je die kinderen in die zandbak zien zitten. Daar is toch niks aan. Ik vind het gewoon zielig. Wat zullen ze blij zijn als ze over onze camping horen.'

'Eigenlijk doen wij heel goed werk,' zegt Anouk. 'Dan hoeven ze hier tenminste niet meer te blijven.'

'Wat is dat daar?'

'Het washok. Of de wc.'

'Daar zou ik dus nooit heen gaan, hè? Dan hield ik het liever op.'

'Zullen we naar binnen gaan?' Anouk doet de deur al open. 'Zo meteen valt dat ouwe krot dood en dan weten we nog niks.'

'Dag mevrouw,' zeggen ze tegen oma. Ze kijken er heel vriendelijk bij. 'Wij komen voor Kars.'

'Die is op het eiland, meiden. Hij heeft het druk. Binnenkort wordt het eiland feestelijk geopend, dan moet alles klaar zijn.'

'Ja,' zegt Anouk snel. 'Dat weten we. Daarom komen we ook helpen. Want het feest is toch al snel? Wat zei Kars nou ook alweer?'

'Zaterdag,' zegt oma.

'Ja, dat klopt. Dat zei hij ook.'

'Sorry,' zegt oma als de telefoon gaat en ze neemt hem op.

'Dat weten we alvast,' fluistert Anouk. 'Zaterdag zijn wij hier. Ons schatje denkt zeker dat hij ons voor de gek kan houden, maar wij komen overal achter.'

'Ze kunnen wel wat hulp gebruiken,' zegt oma nadat ze haar

telefoongesprek heeft beëindigd. 'Als jullie dat pad af lopen, kom je bij de steiger. Blijf daar maar even staan, want het vlot zal er wel niet liggen. Ik bel Kars wel en dan vraag ik of hij jullie komt ophalen.'

Gierend van de lach loopt de tweeling het pad af.

'Wat zei dat ouwe lijk nou? Een vlot... Ze kunnen niet eens een behoorlijke boot betalen. Dat joch heeft zelf een vlot getimmerd.'

'En daar kunnen wij straks op,' zegt Valerie. 'Zo meteen zinkt dat krot nog en dan worden we helemaal nat. Dat zij hier nou allemaal in lompen lopen, maar mijn supershoes worden er echt niet mooier op als ze nat worden.'

'In Amerika kopen we wel weer nieuwe voor je, zusje,' lacht Anouk.

Kars is de crêperie aan het beschilderen als zijn mobiel gaat.

'Ha Kars, met mij,' zegt oma. 'Jullie krijgen versterking. Ik heb gezegd dat ze naar de waterkant moeten komen en dat jij ze daar afhaalt.'

'Niet gek,' zegt Kars. 'Jongens, we krijgen hulp. Ik moet ze nu gaan ophalen. Wie wil dit zolang even van me overnemen, anders gaat de verf druipen.'

'Ik.' Annabel neemt Kars' kwast over.

Kars zet de motor van het vlot aan. Een beetje hulp kunnen ze wel gebruiken. Zou zijn vader komen? Hij vaart naar de steiger. Maar als hij aanlegt, ziet hij helemaal niemand. Wat is dat nou weer? Zeker een of andere grap van oma. Hij kijkt nog even rond. Bij het water staan twee kleutertjes, maar die zal zijn oma niet hebben bedoeld. Nou ja, dan maar weer terug.

Als hij wil wegvaren, hoort hij gezang.

'Schipper mag ik overvaren, ja of nee. Moet ik dan nog geld betalen, ja of nee...'

Valerie en Anouk komen zingend achter de struiken vandaan.

Wat komen die twee nou doen? Kars schrikt als hij hen ziet. Hij had ze expres niet terug ge-sms't.

'Wat een verrassing, hè?' Anouk stapt op het vlot en geeft Kars een kus op zijn wang. 'Nou, schippertje, wil je ons naar het Love Island brengen? Dan gaan we jullie helpen.'

Dat nooit, denkt hij. Dan vraagt Romeo ze vast voor het feest en Kars heeft liever niet dat ze daar komen.

'Nee, eh, ik laat jullie wel even de camping zien,' zegt hij. 'Het Love Island moet nog een verrassing blijven. Laten we maar bij de kantine beginnen.'

'Daar komen we net vandaan,' zegt Anouk.

'Hebben jullie onze site gezien?' vraagt Kars. En hij gaat hen voor naar binnen.

'Hebben jullie een eigen site?' Anouk kijkt Valerie aan. Ze moeten alles weten.

'Jazeker,' zegt Kars. 'Sweetmemory. Moet je zien hoeveel erop staat. De site is zeer populair.'

'Dus als je daar een nieuwtje op zet, leest iedereen het.'

'Dan weet in een paar minuten de hele camping het,' zegt Kars trots.

'Gaaf!' zegt Anouk. 'Heel gaaf!'

'En dan is hier onze disco, CU. Kom maar mee.' Kars loopt met hen naar de loods. 'Dit is hem!' En hij doet de deur van de disco open.

'Wauw!' roept Anouk. 'Zie je dat, Valerie? Dat ziet er wel heel flitsend uit, hè?'

'Nou.' Valerie knikt. 'Heel bijzonder. Het is hier allemáál zo bijzonder.'

Anouk kijkt naar de draaischijf, waar een plaat op ligt en ze zet hem aan.

'Wat een gave muziek!' Anouk gaat vlak voor Kars staan en begint heel verleidelijk te dansen. Kars krijgt weer hetzelfde gevoel als een paar dagen geleden. Hij kan er niks aan doen. Het overvalt hem. Het is maar goed dat het niet zo licht is in de disco, want hij is vast knalrood.

'Dit nummer moet je zaterdag ook draaien,' zegt Anouk.

'Zaterdag?' Kars schrikt.

'Ja, op het feest. Ga je dan met me dansen?'

Hoe weet jij dat we zaterdag feest hebben? denkt Kars.

'Je mag kiezen,' zegt Anouk. 'Je moet zaterdag met me dansen, of je mag ook nu met me dansen.'

Ik ga helemaal niet met je dansen, denkt Kars. Maar als Anouk naar hem knipoogt en haar hand naar hem uitsteekt, doet hij het toch.

'Wat ben je toch een lekker ding,' zegt ze. 'Ik vind je zo stoer dat je een feest hebt georganiseerd.'

'Zo stoer is dat niet,' lacht Kars. 'We doen het met de hele crew. Het eiland wordt geopend.'

'Wat gaat daar allemaal gebeuren?' vraagt Anouk en ze pakt Kars' hand. 'Nou? Ah, vertel het nou?'

Kars wordt echt door haar betoverd. Hij kijkt naar Anouk en dan vertelt hij ineens over het eiland, de bar, de crêperie en het waarzeggershutje.

'Spannend. Wat gaat die waarzegster allemaal doen?'

'Dat moet nog geheim blijven,' lacht Kars. 'Nee echt, dat vertel ik niet.'

'Voor ons hoef je het toch niet geheim te houden? Wij hebben ook een camping.' En Anouk streelt over Kars' buik. 'Mij kun je dat toch wel vertellen?'

'Nou ja, waarom ook niet?' zegt Kars. 'Op de steiger kan iedereen een kaartje voor het feest kopen. En op elk kaartje staat een bepaald dier.'

'Spannend. Het is zeker een heel romantisch kaartje.'

'Gewoon een kaartje van karton. Ik heb er geloof ik een in mijn zak. Op deze hebben we een vogel getekend.'

'Zie je dat, Valerie?' zegt Anouk. 'Echt een kaartje voor een Love Island, vind je niet?' En ze geeft het kaartje gauw aan haar zus.

'Wat leuk!' zegt Valerie en ze steekt het in haar zak.

'En, eh... wat doen ze dan met die kaartjes? Ze hebben natuurlijk niet voor niks betaald, toch?'

'Van elk dier zijn er twee,' legt Kars uit. 'En dan moet iedereen degene met hetzelfde dier zoeken. Daarna kan ieder stel bij de waarzegster langsgaan en die vertelt of het wat wordt tussen die twee.'

'Wat goed bedacht!' Anouk kijkt naar Valerie. Die zet haar vinger tegen haar hoofd om aan te geven dat ze het goed zal onthouden.

Ineens schrikt Kars. Hij heeft hun hele plan aan Anouk verteld. Als Annabel en de anderen dat te weten komen, vermoorden ze hem.

'Niemand mag weten dat ik het verteld heb, hoor,' zegt Kars. 'Dan krijg ik ruzie.'

'Natuurlijk niet,' zegt Anouk. 'Ik hou mijn mond. Maar in ruil daarvoor wil ik wel een kus.'

Ze tuit haar lippen.

'Goed dan.' Kars geeft haar snel een kus. Maar Anouk houdt hem vast en drukt haar lippen tegen zijn mond. En dan gebeurt het ineens. Kars voelt Anouks tong in zijn mond en hij duwt haar niet weg.

Als ze hem eindelijk loslaat, beseft hij wat hij heeft gedaan. Ik heb met haar gezoend, denkt hij. Ik heb echt met haar gezoend...

'Rustig maar.' Anouk legt haar vinger op zijn mond. 'Niemand krijgt dit van ons te horen, toch, Val?'

Valerie schudt haar hoofd. 'Ik zal het nooit vertellen.' En ze steekt twee vingers op.

10

Gisteren hebben ze overal in het dorp affiches opgehangen en flyers uitgedeeld. De jongeren die ze tegenkwamen reageerden heel enthousiast. Maar het duurde veel langer dan ze hadden gepland. Toen ze aan het eind van de middag op het Love Island kwamen, zagen ze opeens wat er allemaal nog moest gebeuren. Ze hebben de hele avond doorgewerkt en vandaag begint het al echt wat te lijken.

De crêperie is zo goed als af. Kars heeft de houten wanden heel flitsend beschilderd. En Jules heeft net de butagasfles aangesloten. Eerst lukte het helemaal niet. Hij heeft de fles er wel drie keer af moeten halen en toen heeft hij de hulp van Kylian ingeroepen. Die had het in een paar minuten voor elkaar. Jules zucht. Alles wat hij vandaag aanpakt, gaat mis. Dat komt doordat hij er met zijn gedachten niet bij is. Hij denkt steeds aan Nona, maar vooral ook aan zijn vader. Het is nu ruim tien dagen geleden dat hij hem voor het laatst heeft bezocht. Het zit hem helemaal niet lekker dat hij zo lang is weggebleven. Die verplegers kunnen nou wel bedenken dat het beter voor zijn vader is, maar hij wil toch naar hem toe.

'Ik moet nu gaan,' zegt Kylian. 'Jullie redden het verder wel, hè?'

'Bedankt!' zegt Kars. 'Jules, je kunt het gasstel uitproberen, hoor.'

Jules hoort hem niet eens.

'Hé, waar zit jij met je kop, man.' Kars stoot hem aan.

'Eh... wat?' Jules kijkt hem verward aan.

'Ik vroeg of je het gas straks gaat uitproberen.'

'Nee, dat doe ik vanavond wel, of misschien morgen. Ik moet weg.'

'Wel plotseling, hè?' pest Kars. 'Heb je een nieuw liefje?'

'Wat hoor ik?' Romeo en Stef komen er nu ook aan. 'Dus daarom heb je het uitgemaakt. Je hebt een prinses ontmoet.'

'Hou op!' Jules heeft nu geen zin in die slappe grappen. En hij heeft ook geen zin om te vertellen dat hij naar zijn vader gaat. Gisteren zei hij nog dat hij een paar weken weg zou blijven. Snappen zij veel waarom hij nu toch gaat?

'Ik laat Frodo hier. Goed?' En hij loopt weg.

'Ze is zeker bang voor honden, hè?' roept Romeo. 'Dat wordt nog lastig, man. Dan moet je kiezen tussen je meisje en je hond.'

Jules raakt geïrriteerd. Hou nou eens op met die flauwekul, wil hij roepen. Maar dat is niet eerlijk. Zij kunnen er ook niks aan doen dat hij zich rot voelt. Het kwam ook zomaar opzetten. In het begin had hij er helemaal geen moeite mee dat hij een tijdje niet naar zijn vader kon. Dat leek tenminste zo. Hij heeft natuurlijk niet voor niks zo beroerd gedroomd de laatste nachten. Afgelopen nacht had hij helemaal een nachtmerrie. In zijn slaap riep zijn vader zijn naam. 'Jules, help!' Jules schoot overeind. Wat was er met hem? Maar toen bedacht hij dat zijn vader veilig in de kliniek zat en werd hij langzaam weer rustig. Toch heeft hij de hele dag een onrustig gevoel. Daarom kan hij hem maar beter opzoeken, dan gaat het tenminste over.

Een half uur later rijdt Jules het pad van de kliniek op. Hij zet zijn fiets voor het grote gebouw en belt aan. Als de deur opengaat, loopt hij de trap op. Het is elke keer weer vreselijk om zijn vader hier te moeten opzoeken. Dat zijn vader ooit in een kliniek voor alcoholverslaafden terecht zou komen, had hij nooit kunnen denken. Hoe vaak is hij hier nu al geweest? En het went nooit. Hij doet de deur van de gemeenschapsruimte open. Meestal zit zijn vader daar voor de televisie. Jules kijkt rond, maar hij ziet hem niet. Dan is hij zeker op zijn kamer. Jules loopt over de gang als een verpleger naar hem toe komt.

'Jij komt voor je vader,' zegt hij.

Jules knikt. 'Ik weet wel dat ik niet mocht komen, maar ik wil mijn vader toch zien.'

'Hij is hier niet meer,' zegt de man. 'Een uur geleden heeft hij besloten naar huis te gaan. We hebben nog op hem ingepraat, maar het is hier geen gevangenis. De mensen moeten het wel zelf willen. Jouw vader wil niet en dan houdt het op. Het is jammer, want in het begin...'

De verpleger praat maar door, maar Jules denkt alleen aan zijn vader. Is hij naar huis? Wat verschrikkelijk. Dit was zijn laatste kans. Als hij het nu opgeeft, gaat het helemaal mis. Dan zuipt hij zich dood. Jules raakt in paniek bij het idee dat hij dan ook zijn vader gaat verliezen. Hij onderbreekt de verpleger. 'Ik moet naar hem toe.' Hij draait zich om en holt weg. Vlug, voor het te laat is. Jules rent de trap af, het gebouw uit. Hij springt op zijn fiets en racet naar het dorp. Hij stopt niet eens voor het rode licht, zo'n haast heeft hij.

'Halvegare!' roept een buschauffeur, die met zijn bus dwars over de weg staat omdat hij keihard voor Jules moest remmen. Maar Jules hoort hem niet eens. Karren, voor het te laat is, dat is het enige wat hij denkt. De vuilnisauto blokkeert de doorgang in zijn straat. Jules crost over de stoep. Voor zijn huis smijt hij zijn fiets op de grond. Een seconde later maakt hij de voordeur open en staat hij in de gang.

'Pap!' roept hij. 'Pap, waar ben je?' Hij rent door het huis. Alle deuren smijt hij open, maar zijn vader is er niet. Nee, denkt Jules. Hij is meteen doorgegaan naar het café... Hij ziet zijn vader in gedachten stomdronken aan de bar zitten. Nu is alles verloren. Waarom hebben ze hem niet opgebeld? Dan had hij hem misschien nog kunnen tegenhouden. Wat nou: je vader wil niet? Hij heeft er al die weken gezeten. Hij heeft tegen de drank gevochten, elke dag. En nu heeft hij een zwak moment en dan laten ze hem zomaar gaan. Jules gaat naar buiten. Hij laat zijn fiets staan.

'Hé Jules.' De buurvrouw staat bij de voordeur. 'Hoe is het eigenlijk met je vader? Ik zie hem helemaal niet meer. Hij ligt toch niet in het ziekenhuis?'

'Sorry, ik heb geen tijd.' Jules rent door. De buurvrouw is nu wel de laatste in wie hij zin heeft. Hij kent niemand die zo veel roddels verspreidt als zij. Hij komt hijgend bij het café aan. Hoe vaak heeft hij de laatste jaren zijn vader hier niet ladderzat moeten weghalen? Hij had zo gehoopt dat het nooit meer nodig zou zijn. En nu staat hij er weer. 'Mam, help ons,' zegt hij in zichzelf. 'Laat papa hier alsjeblieft niet binnen zijn...'

Hij loopt naar het raam. Jules durft bijna niet naar binnen, maar hij moet het weten. Hij kijkt door het raam en dan schrikt hij. Aan de bar zit een man op een kruk. En die man is zijn vader.

Jules gaat het café in. Hij moet moeite doen om niet te huilen.

'Pap,' zegt hij.

'Ha die Jules,' zegt de vrouw achter de bar. 'Je vader is hier net. Het voelt weer zo vertrouwd, hè Jean. Ik heb hem eerst een kop stevige koffie gegeven.'

Jules kijkt naar de koffie. Er staat geen cointreautje naast. 'Heb je al wat gedronken?'

'Nee,' zegt de vrouw. 'Maar hij krijgt zo een heerlijke whisky on the rocks van me. En hij heeft beloofd niet meer zoveel te drinken, hè Jean?'

'Pap.' Jules slaat een arm om zijn vader heen. Zijn vader kijkt hem aan. 'Ik hield het niet meer uit, jongen. Ik weet dat het slap is, maar...'

'Pap, je hebt het beloofd. Weet je nog?'

'Ik weet het,' zegt Jules' vader. 'Ik heb het je zo vaak beloofd.'

'Maar nu had je het niet alleen aan mij beloofd, pap. Herinner je je nog dat we samen bij het graf van mama stonden? Toen heb je het haar beloofd.'

Nu moet zijn vader huilen. 'Sorry jochie, maar ik zat daar maar. En jij was er ook niet.'

'Ik heb je elke dag een kaart gestuurd.'

Zijn vader haalt zijn schouders op. 'Het lukt me niet, jochie. Ook al wil ik het.'

'Het is je al gelukt, pap. Hoe lang heb je al niet meer gedronken? Denk daar eens aan. Je bent al over de helft. Ga je met me mee? Dan gaan we samen terug.'

Zijn vader schudt zijn hoofd. 'Het wordt toch niks.'

'Pap, ik was zo trots op je. En mama ook. Zullen we naar het graf gaan? Zullen we haar samen vertellen hoe sterk je bent? Dat je hier geen borrel hebt genomen? Nu kan het nog, pap. Nu kun je nog trots op jezelf zijn.'

Jules pakt zijn vaders hand. 'Kom mee, pap. We gaan het mama vertellen.' Vol spanning kijkt hij zijn vader aan. Het moet je lukken, zegt hij tegen zichzelf. Het is nog niet te laat. Het is nog niet verloren. Hij kijkt zijn vader aan.

'Pap, alsjeblieft? Doe het voor mama en mij.'

En dan staat zijn vader op. 'Ik ga met je mee, kerel.'

'Die koffie krijg je van mij,' zegt de caféhoudster.

Als ze buiten staan, pakt Jules zijn vaders hand. 'We gaan het mama vertellen, pap.' En ze lopen samen naar de begraafplaats.

'Nou jongens, dat ziet er niet gek uit,' zegt Kars. 'Goed werk, hoor! Dat hadden we gisteren niet kunnen denken.'

'Je moet ook niet vragen hoeveel uur we achter elkaar hebben gebuffeld,' zegt Romeo.

'Ik weet niet hoe jullie erover denken, maar wat mij betreft kan het eiland worden geopend. Op een paar kleine dingetjes na dan.' Kars haalt voor iedereen iets fris uit de bar.

'Proost!'

'Dames en heren, ik vraag jullie aandacht voor onze invalwaarzegster!' zegt Stef. 'Hier is ze, onze beroemde Romeola.'

'Nee hè?' Slap van de lach kijken ze naar Romeo, die uit de waarzeggershut tevoorschijn komt.

'Die rok is veel te kort voor die gek!' lacht Annabel. 'Die harige poten met die grote sandalen eronder...'

'Nee, die borsten!' giert Isa. In de waarzegstersbloes zitten niet twee, maar drie sinaasappels. 'De vrouw met de drie borsten!' roept Edgar.

'Vooral dat sjaaltje staat je heel goed,' lacht Annabel. Romeo heeft het niet aan de achterkant vastgemaakt, maar heel stompzinnig onder zijn kin gestrikt.

'Hier spreekt de waarzegster met de drie borsten!' galmt Romeo's stem over het eiland. 'Zij kan voor u allen de toekomst voorspellen. Wie durft zijn liefdeslot onder ogen te zien?'

'Wij toch, Justin?' Isa gaat op het stoeltje zitten en trekt Justin op de andere stoel. 'Vertel op: hoe gaat het met ons? Worden we gelukkig?'

De waarzegster kijkt in haar bol. 'O, dit kan de bol niet aan. Zoiets heb ik nog nooit gezien. De bol gaat knappen. Ik zie het liefdesleven van Justin en Isa. Het is één gloeiende brij. Een liefdesbrij, zogezegd...'

'Verder...' lacht Isa.

'Nee,' zegt de waarzegster. 'Laat alsjeblieft een ander vragen naar zijn toekomst. Anders knapt de bol nog van de hitte uit elkaar.'

'Wij willen weten hoe het met ons gaat, Kars en ik.' Annabel duwt Kars op de stoel en gaat op zijn schoot zitten.

'Weet u zeker dat u het aandurft?' vraagt de waarzegster.

'Wij wel,' zegt Annabel. 'Wij worden vast heel gelukkig. Kijkt u maar, dan ziet u het vanzelf.'

De waarzegster kijkt in haar bol. 'Ik zie zoenen,' zegt ze. 'Heftige hete kussen.'

'Zie je wel?' zegt Annabel.

'Wat is dit nou?' roept de waarzegster geschrokken. Ze houdt de bol een eindje van zich af. 'Zoent Annabel met een ander? Ik moet eens even goed in mijn bol kijken.'

'Dat lijkt me een goed idee, want ik ga nooit met een ander zoenen.' En Annabel geeft Kars een kus.

'Laat me nog eens kijken,' zegt de waarzegster. 'Het is een beetje mistig, daarom zie ik het niet duidelijk. Is het wel Annabel die dat doet, of is het Kars die met een ander zoent?'

'Doe een beetje normaal,' zegt Kars kwaad.

'Nee, hoor waarzegstertje,' zegt Annabel. 'U bent in de war. Zoiets doet Kars niet. Mijn liefje zou nooit zomaar met een ander zoenen, echt niet.'

'U komt hier om de waarheid te horen,' zegt de waarzegster. 'Hoe vervelend ik het ook vind, ik zie het toch in mijn bol. Het is Kars die met een ander zoent. Lebber lebber lebber...'

'Doe niet zo belachelijk,' zegt Kars. 'Hier vind ik dus echt niks aan. Als je niet normaal kunt doen, hoepel je maar op.'

'Jeetje, wat ben jij opgefokt, broer,' zegt Isa. 'Het is maar een lolletje, hoor.'

'Erg grappig.' Kars zet Annabel van zijn schoot en staat op.

'De waarzegster kletst maar wat uit zijn sinaasappels,' lacht Stef.

'Vertel dan maar over Brian. Die moet toch ook een keer verkering krijgen.'

De waarzegster kijkt in de bol. 'Het ziet er heel goed voor je uit, mister. Jij komt op het feest de vrouw van je dromen tegen. Ze is bloedmooi. Iedereen is jaloers op je. Het is liefde op het eerste gezicht. Ik zie... Ik zie dat jullie zoenen.'

'Nou broertje,' zegt Edgar. 'Dat wordt tijd, zeg.'

Brian zegt niks terug.

'En ik dan?' vraagt Stef.

'Op het feest wordt iemand heel verliefd op je,' zegt de waarzegster. 'Ik zie dat het niet zomaar een verliefdheidje is. Wat ik hier zie, is echte liefde. Vurige liefde. Ik zie dat jullie samen naar buiten gaan en elkaar beminnen.'

'Hmmm,' zegt Stef. 'Ik wil meer horen. Krijg ik verkering?'

'Eens even kijken...' De waarzegster houdt haar gezicht nog dichter bij de bol. 'Ik zie dat je je handen niet thuis kunt houden.'

'Hoe ziet ze eruit? Nou wil ik ook weten hoe ze eruitziet.'

'Ze?' zegt de waarzegster. 'Het is geen zij, het is een jongen. Hij...'

'Gatverdamme,' zegt Stef. 'Ik ga niet met een kerel zoenen. Zie ik er soms uit als een homo? Zeker zo'n billenknijper aan mijn reet, nee, dank je wel.'

'Wat is er nou op homo's tegen?' zegt Isa.

'Niks,' zegt Stef. 'Maar ik ga niet met een homo in een tent liggen. Het spijt me zeer. Dat is toch logisch! Ik zou geen oog dichtdoen met een homo naast me.'

Brian voelt dat hij rood wordt. Voordat iemand het kan zien, draait hij zich snel om.

11

Je kunt wel merken dat het eiland vanavond wordt geopend. Net als vlak voor een voorstelling hangt er een spanning op het Love Island. En overal hoor je de Timboektoe-tune. Vanochtend hebben ze alles nog één keer grondig doorgenomen.

Volgens Kylian was het 'helemaal top' en kan er niks fout gaan. Jammer genoeg kan hij er vanavond niet bij zijn. Zijn neef gaat trouwen. Hij gaat voor een paar dagen terug naar Nederland. Hanna brengt hem zo naar de trein. Ze neemt Kylians werk over, want de activiteiten moeten natuurlijk doorgaan.

Iedereen controleert de laatste dingen. Justin bekijkt voor de zoveelste keer de kaartjes, of er van alle symbolen wel twee zijn. Als het klopt, bergt hij ze op en maakt een rondje over het eiland.

'Zo, jij bent wat van plan,' zegt hij als hij de emmer beslag in de crêperie ziet.

'Ja, ik hoop dat die aan het eind van de avond helemaal leeg is,' zegt Jules. 'Maar zover ben ik nog niet. Ik moet eerst nog oefenen.'

Met een lepel spreidt hij wat beslag over de plaat.

'Dat ziet er vakkundig uit.' Justin kijkt vol bewondering toe. 'Volgens mij heb je dat wel vaker gedaan.'

'Wat denk je, ik heb les van oma gehad. We hebben een uur samen in de keuken gestaan. Wat een geduld heeft die, zeg. Eerst lukte het helemaal niet. Ze bleven allemaal aan de pan plakken. Ik wilde er al mee stoppen, maar ze bleef me aanmoedigen en... ineens had ik het door.'

'Het ruikt heerlijk.'

Jules kijkt naar de crêpe, die langzaam goudgeel wordt.

'Niet gek, hè? Oma kan trots op me zijn.'

Frodo staat al te wachten. 'Eerlijk delen,' zegt Jules als de crêpe klaar is en hij geeft Justin en Frodo allebei een stuk. 'Is hij lekker?'

'Een beetje te dik,' zegt Justin. 'Hij is nog niet gaar vanbinnen. O, ik word geroepen.'

Jules proeft. Justin heeft gelijk, maar hij is niet ontevreden. Hij moet ze beter doorbakken en dan gaat het hem lukken. Hij voelt zich veel beter. Zijn vader is gelukkig weer terug in de kliniek. En vanochtend heeft hij Nona een sms'je gestuurd. Hij heeft hetzelfde geschreven als wat er in zijn brief stond. *Sorry, ik was veel te bot. Dat verdien jij niet.* Het lucht hem op. Nou kan hij haar tenminste uit zijn hoofd zetten. Wat een gedoe. Hij hoeft nooit meer verkering. Ah, deze crêpe ziet er al beter uit. Hij maakt een pot chocopasta open. Oma heeft hem voorgedaan hoe hij de chocola gelijk kan verdelen. Jules neemt een hap; het smaakt helemaal niet gek. Als hij niks meer weet, kan hij altijd nog in een crêperie gaan werken. Hij hoort Romeo en Stef. Die twee gekken rijden met de kruiwagen over de camping. Stef duwt Romeo, die rechtop in de kruiwagen staat. 'Attentie attentie', hoort hij hem brullen. 'Vanavond om negen uur wordt het Love Island geopend. Kom allemaal naar de steiger en koop daar een kaartje.'

Jules kent de tekst uit zijn hoofd. Vanochtend zijn ze er al mee begonnen.

'Wat een volume heeft die gast, hè?' roept Edgar vanachter de bar. 'Zijn stem werkt beter dan deze versterker.'

Jules hoorde al af en toe gevloek uit die hoek komen. 'Lukt het?' vraagt hij.

'De versterker werkt niet. Ik hoor echt helemaal niks.'

'Dan moet je niet bij mij zijn,' zegt Jules, 'ik ben niet zo technisch. Help, mijn crêpe! Ja, hoor, helemaal zwart.'

'Gaan die lampjes nu al aan?' Isa kijkt omhoog.

'Alleen om te testen of ze het doen,' legt Kars uit. 'Nou, ze doen het dus. Perfect.'

'Ik vind dat er bij het strandje ook wat lampjes moeten.'

'Nee, daar komen fakkels. Nou je het zegt, waar zijn die eigenlijk?'

'Ze lagen bij de lampjes,' roept Edgar, 'of was dat nou na het eerste feest?'

'Ik heb niks gezien,' zegt Kars.

'Dat klopt,' zegt Justin. 'Er was er nog maar één over en die hebben Isa en ik laatst gebruikt.'

'Ja.' Isa geeft Justin een knuffel. 'Dat was romantisch, hè?'

'Superromantisch,' zegt Kars. 'Niet even melden dat het de laatste was. Nee, hoor, nu grijpen wij gewoon mis.'

'Rustig, broertje,' zegt Isa. 'Ik ga wel naar het dorp.'

'Ik neem ze straks wel mee,' zegt Jules. 'Ik ga toch nog even langs mijn vader. Maar eerst nog oefenen, hoor. Ik heb geen zin om vanavond voor paal te staan. Deze is weer niks. Het lijkt zo makkelijk als je het oma ziet doen, maar dat is het dus niet. Aha, ik geloof dat ik het doorheb. Je moet een beetje spelen met het vuur. Dan weer hoog en daarna weer laag...'

'De muziek doet echt niks,' moppert Edgar.

'Zal ik dan maar even kijken?' vraagt Kars. 'Gooi de volumeknop maar helemaal open.'

Kars prutst wat aan de versterker. 'Wauaua...' De muziek schettert over het eiland. 'Ja jongens, de vliegende kiep voor al uw problemen.'

‘Als je maar van de crêpes afblijft,’ zegt Isa. ‘Want die melige dikke pannenkoeken die jij altijd bakt... Hoe vinden jullie trouwens mijn schort?’

Ze draait in een lang wit schort in het rond.

‘Gaaf! Echt een Franse serveerster!’ zegt Jules.

‘Stoer, hoor,’ zegt Edgar. ‘Hoe kom je daaraan?’

‘Op de rommelmarkt gekocht, tegelijk met die andere spullen, en toen heb ik het zelf vermaakt.’

De Timboektoe-tune klinkt. Kars kijkt op het schermpje van zijn mobiel.

‘Ah Romeo, wat wil je weten? Of we je hebben gehoord? Hoezo? Hebben jullie dan al omgeroepen? O, wel dus. Nou, ik heb niks gehoord. Even aan de anderen vragen. Hebben jullie Romeo horen omroepen?’

‘Nee,’ zegt Edgar.

‘Ik heb ook niks gehoord,’ zeggen Jules, Isa en Justin.

‘Je hoort het, dan zul je toch wat harder moeten schreeuwen. Tot zo dan.’ Lachend drukt Kars de telefoon uit.

‘Wat gemeen,’ zegt Isa.

‘Volgens mij weet nu iedereen dat ons eiland vanavond wordt geopend,’ zegt Kars.

‘Je moet hier natuurlijk wel toevallig zijn,’ zegt Justin, ‘anders weet je van niks.’

‘Als ze boodschappen doen in het dorp weten ze het ook,’ zegt Isa. ‘Wat denk je van onze affiches? Je moet wel stekeblind zijn, wil je die niet zien.’

‘Niet iedereen gaat naar het dorp,’ zegt Justin.

‘Daarom hebben we er ook een bij het washok opgehangen, schatje,’ zegt Isa. ‘Daar komt wel iedereen.’

‘Dat hopen we. Wie zich nooit wast, hoeft ook niet op ons feest te komen.’ Edgar knijpt zijn neus dicht.

'Krijgen we nog een lekker muziekje?' vraagt Kars.

'ATTENTIE ATTENTIE...' knalt het over het eiland.

'Wedden dat Romeo zo belt?' Kars heeft het nog niet gezegd of ze horen de ringtone.

'Heb je weer omgeroepen?' vraagt Kars schijnheilig. Hij kan zijn lachen bijna niet houden. 'Nee, niks gehoord. Je kunt toch wel een beetje harder?' En dan beginnen ze allemaal te lachen.

'Shit!' horen ze aan de andere kant van de lijn.

'Jij trapt ook overal in, hè? Het is helemaal top.' Kars drukt zijn mobiel lachend uit.

'Wat moet jij nou met die ouwe bloes?' zegt Valerie als Anouk haar kamer in komt. 'Wou je zo naar het feest gaan?'

Anouk knikt.

'En jij zou onze baby versieren. Hij zit helemaal tot bovenaan dicht. Daar wordt hij heus niet opgewonden van, hoor.'

'Maar hier wel van.' Anouk trekt haar bloes uit. Er zit een heel sexy hemdje onder. 'Die bloes is alleen maar voor papa. In dat hemdje kom ik echt de deur niet uit. Weet je nog dat we op dat vorige feest ons jurkje aanhadden? Toen moesten we ons ook verkleden. Als ik er ben, smijt ik dat vod wel ergens in de bosjes. Het is daar net een vuilnisbelt.'

'Wat heb ik toch een slimme zus. Dat doe ik ook.' En Valerie doet haar kast open. 'Ik heb nog die slome bloes die ik van tante Loes heb gekregen. Goed dat ik hem niet heb weggegooid. Dat stomme uitverkoopje, weet je wel?' Ze trekt hem aan en knoopt de knoopjes tot bovenaan dicht.

'Kijk eens hoe degelijk wij er uitzien, pappie?' Valerie kijkt heel braaf. 'Jij hebt heel nette dochters. Daar ben je zeker wel trots op.'

'En heel lieve, die nooit lelijk doen.' Anouk moet lachen. 'Hoe laat is het?'

Valerie schrikt als ze op haar horloge kijkt. 'We hebben nog een uur. We mogen wel opschieten met ons plan.' Ze gaat naast Anouk op bed zitten.

'We moeten ervoor zorgen dat die mensen naar onze camping komen,' zegt Anouk.

'Hè hè, dat weten we allang, maar hoe doen we dat, daar gaat het toch om? We hebben gisteren allemaal diertjes zitten tekenen op karton en daarna hebben we zitten knippen. Het leek wel alsof ik weer op de kleuterschool zat. Moet je zien hoeveel verschillende dieren we hebben. Ik wist niet eens dat er zoveel bestonden. Maar we weten niet eens waarvoor we al dat werk hebben gedaan.'

Het blijft even stil. Dan zegt Valerie: 'Ik weet al wat. Ze moeten afknappen op die camping. Nederlanders vinden het toch zo belangrijk dat het schoon is? Dat zegt pappie altijd. Nou, dan glippen wij elke dag het washok in en dan maken we alles hartstikke vies. Wat dacht je van een paar lekkere paardenvijgen uitsmeren in de wastafels?'

'Gatver, weet je niks beters?' zegt Anouk. 'En ik geloof ook niet dat het een goed plan is. Tante Isabel heeft toch ook een camping? Daar hebben ze allemaal vaste gasten. Die vertrekken heus niet omdat er een drol in de wasbak ligt.'

'Dan weet ik het al. Papa's en mama's zijn toch altijd zo bezorgd om hun kinderen?'

'Ja!' roept Anouk blij. 'Dat is het. Ze moeten heel erg bang worden en dan stappen ze wel op, omdat hun kinderen gevaar lopen...'

'Ik wist wel dat we iets goeds zouden bedenken.'

'Wacht nou even. We kunnen niet al die families aan het schrikken maken. Dat lukt nooit.'

'Dat hoeft ook niet. Weet je nog de familie Klop bij tante Isabel op de camping? Die komt daar al jaren. Die mensen weten alles, dat zegt tante Isabel altijd. Alle kampeerders vragen hun om raad en iedereen luistert naar hen. Zo'n familie heeft Timboektoe vast ook. Die mensen gaan wij lekker opfokken, zo erg dat ze er niet meer willen blijven. En de andere kampeerders ook niet. We hoeven er alleen maar achter te komen wie die belangrijke familie is. En dat is niet moeilijk.'

'Helemaal niet moeilijk,' grinnikt Anouk. 'Voor die tutjes van Timboektoe misschien, maar niet voor ons, want daar hebben we nou onze baby voor. Ons honneponnetje vertelt ons alles.

En zodra wij weten welke familie zo belangrijk is, gaan wij infiltreren. En wat dacht je van die stomme website, Sweetmemory? Nou, ik weet wel een *sweet memory*. Haha... "Als je daar iets op zet, weet iedereen het",' praat ze Kars na. 'Maar we beginnen met die familie.'

Valerie knikt opgewonden. 'Ze hebben vast wel een schattig zoontje dat door ons versierd wil worden. Dat kunnen wij wel, want jongens vinden ons meestal heel lief. Vooral met onze sexy hemdjes. En dan hebben we toch niet voor niks die toegangskaartjes nagemaakt, want jij wilt vast wel met hem naar de waarzegster om jullie toekomst te laten voorspellen.'

'Maar wat als ze nou alleen maar dochters hebben?'

'Dan zullen we heel lieve vriendinnen moeten worden,' grinnikt Valerie.

'Daar zijn we helemaal goed in,' zegt Anouk. 'Want toen we per se op Sofies feest wilden komen werden we ook heel goeie vriendinnen. Dat zei ze zelf, weet je nog? Vlak voor het feest zei ze het. "Jullie zijn mijn beste vriendinnen".'

'Haha... Na het feest zei ze iets heel anders...' Anouk en Valerie liggen wéér slap van de lach.

12

'Nieuwe lading!' roept Romeo. En hij legt het vlot aan de steiger. Ze zijn al een paar keer op en neer gevaren, zo druk is het. Om acht uur stond er al een rij feestgangers op de steiger.

Ze steken hun duim op tegen Brian, die de kaartjes verkoopt. Er zijn twee dozen, een voor de jongens en een voor de meiden.

'Hoe oud zijn jullie?' vraagt Brian aan een jongen en een meisje.

'Acht jaar,' zegt de jongen.

'Nietes,' zegt het meisje. 'Ik ben al achtenhalf.'

'Dat is wel een beetje te jong,' zegt Brian.

'Maar het mag van onze ouders,' zegt de jongen.

Brian wil hen doorlaten, maar Romeo grijpt in. 'Sorry jongens, je moet minstens twaalf zijn.'

'Elf mag ook,' zegt Stef. 'Maar acht is echt te jong.'

Brian vindt het moeilijk als hij de teleurgestelde gezichten ziet. 'Voor jullie organiseren we binnenkort wel iets anders.' En hij gaat door met de volgende die in de rij staat. Het is ook zo druk. De rij wordt steeds langer.

'Er kunnen er nog maar een paar bij,' zegt Stef.

'Dan bent u straks de laatste,' zegt Brian tegen een man en een vrouw.

'Jeetje, man.' Romeo wenkt Brian. 'Die mensen zijn toch veel te oud?' zegt hij zachtjes. 'Het is geen bejaardenfeest.'

Brian wordt rood. 'Zeg jij dat maar, hoor, dat durf ik niet.'

Stef stapt op het echtpaar af. 'Sorry, de maximumleeftijd is twintig jaar. Volgens mij bent u daar al overheen.'

'Jammer,' zegt de man. 'Wij houden wel van een feestje.'

'Mag het echt niet?' vraagt de vrouw. 'Wij zijn heel gezellig, hoor.'

'Regels zijn regels,' zegt Stef. 'Brian, wil jij deze mensen hun geld teruggeven?'

Brian voelt zich schuldig. 'We organiseren binnenkort wel iets leuks voor u,' zegt hij opnieuw.

Anouk en Valerie komen er ook aan. Verbaasd kijken ze naar de rij voor de steiger.

'Het is hartstikke druk!' zegt Anouk. 'Hoe krijgen ze dat voor elkaar? Wie gaat er nou naar een feest op zo'n stom eiland? Nou ja, over een poosje kunnen ze dat vlot wel in de open haard gooien, dan komt er niemand meer.'

Ze lopen langs iedereen heen en gaan vooraan staan.

'Hallo,' zeggen een paar jongens. 'Achteraan aansluiten.'

'Ah, mogen we niet voor? Toen we jullie zagen, dachten we alletwee hetzelfde: we gaan bij die leuke jongens staan. Lekker samen op het vlot en, eh... straks samen dansen...'

De jongens kijken naar de meiden.

'Niet gek, daar maken we wel een uitzondering voor. Dat wordt een goeie avond.' En ze slaan elkaar op de schouder. Ze kunnen er nog net bij.

'We zijn vol!' roept Stef.

'Kom hier staan,' zeggen de jongens als Anouk en Valerie doorlopen.

'Nee, hoor, kleutertjes,' zegt Valerie. 'Jullie denken toch niet echt dat we in jullie geïnteresseerd zijn? Gaan jullie maar in de zandbak spelen.'

‘Zo redden jullie het wel, hè?’ zegt Kars tegen Justin en Edgar. Hij moest even bijspringen, het was zo druk bij de bar. Iedereen die op het eiland aan kwam wilde iets drinken.

‘Ik ga even kijken of het wel goed gaat bij de steiger.’

Valerie en Anouk stappen net van het vlot als Kars aan komt lopen. ‘Je komt ons verwelkomen!’ roept Anouk. ‘Wat ben je toch charmant. Je stond hier zeker allang op ons te wachten.’ En ze geeft Kars een kus.

‘Je was vast bang dat we niet meer kwamen,’ zegt Valerie. ‘Maar zo zijn wij niet, hoor. Als we iets beloven doen we het altijd, toch, zus?’

‘En bij jou helemaal.’ Anouk slaat een arm om Kars heen.

‘Zo!’ roept Romeo. ‘Geen gekke vangst, gozer!’

‘Nee,’ zegt Stef. ‘Zo meteen komt de voorspelling van Romeola toch nog uit. Kom op, kapitein, er staat nog een hele rij aan de overkant.’

Kars wil meegaan, maar Anouk houdt hem vast. ‘Blijf nou nog even. Heel even maar.’

‘Goed dan.’ Kars voelt zich ongemakkelijk. Hij wou dat ze niet waren gekomen. Die kus van een paar dagen geleden wil hij eigenlijk zo snel mogelijk vergeten. Het ergste is nog dat hij er vannacht van droomde. In zijn droom kuste hij met een meisje. Ze zag er heel anders uit, maar het was toch Anouk. Hij voelt zich de hele dag al schuldig tegenover Annabel. Als ze het wist... Hij wil helemaal niet liever met Anouk, dat weet hij zeker.

‘Het ziet er wel gaaf uit hier, hoor!’ zegt Anouk. ‘Echt een liefdeseiland. Ik ben zo blij dat we zijn gegaan.’

Ik niet, denkt Kars. Ik had liever gehad dat jullie thuis waren gebleven.

‘Zijn dit allemaal mensen van jullie camping?’ Anouk slaat een arm om zijn hals.

'Nee,' zegt Kars. 'Ik zie heel wat onbekenden.'

'Jij kent zeker iedereen die hier kampeert?'

'Ja, maar zo groot zijn we nou ook weer niet.' Kars ziet dat Annabel van een afstandje naar hem kijkt. Haal die arm van me af, denkt hij.

'Zo'n feest geef je vooral voor je vaste gasten, toch?' vraagt Valerie. 'Dat zouden wij ook doen, hè Anouk? We zouden het héél belangrijk vinden dat die er waren. Of hebben jullie geen vaste gasten?'

'Jazeker,' zegt Kars. 'Edgar, die daar achter de bar staat. En Nona, die komt hier ook al jaren, maar die is er nu niet.'

'Dus dat zijn je belangrijkste gasten,' zegt Anouk.

'Nee, er is nog een familie, eigenlijk zijn het twee families, die zijn echte fans van onze camping. Ze maken heel veel reclame voor ons. Daar zijn we heel blij mee, hoor.'

'En zijn die ook hier?' vraagt Anouk. 'Of hebben ze geen kinderen?'

'Jawel.' Kars kijkt om zich heen. 'Marco heb ik net nog gezien. Ja, daar is hij. Zie je die jongen met die baseballpet op en dat rode shirt? Daar naast de bar. Dat is Marco, die hoort bij ze. En dat meisje dat ernaast staat is zijn nicht, Linda, die hoort bij die andere familie.'

'Leuk petje,' zegt Anouk.

'Oo..., zo begint het nou altijd,' zucht Valerie. 'Nee zus, andere kant op kijken. Ik ga niet met jou de hele avond achter die Marco aan lopen.'

'Hou op,' lacht Anouk.

'Ik zie het toch aan je?' zegt Valerie.

'Nou, hoor, je hoeft niet altijd alles te verraden. Of zie jij het ook aan mij?' Anouk kijkt naar Kars.

Kars moet lachen. 'Vind je hem echt zo leuk?

Anouk knikt.

'Ik wil je wel aan hem voorstellen.' Komt dat even goed uit, denkt Kars en hij neemt hen mee naar Marco.

'Ha Marco! Dit is Anouk en dit is haar zus Valerie. Ze zijn hier helemaal onbekend. Wil jij ze even het eiland laten zien? Daar heb ik geen tijd voor. Jij kent hier ook alles.'

'Eh... ja, waarom niet?' Marco lacht verlegen.

Zo, dat is mooi opgelost. En Kars loopt weg.

'Wat doe jij nou, man?' vraagt Romeo, die de laatste vracht heeft opgehaald. 'Wat moet Marco met die sweeties?'

'Ja,' zegt Stef. 'Die zijn voor ons. Dat staat in ons contract. Op alles wat wij overvaren hebben we eerste rechten.'

Kars loopt door. Hij is allang blij dat hij van Anouk af is.

'Ah, je hoeft ons niet het hele eiland te laten zien, hoor,' zegt Anouk. 'Wij halen wel wat te drinken voor jullie. Wat wil jij, Marco?'

'Doe mij maar een biertje.'

'En ik wil een cola,' zegt Linda.

'Wat sta je nou de hele tijd op mijn lip?' zegt Anouk als ze met Valerie naar de bar loopt. 'Ik versier die sukkel wel. Ga jij nou maar een leuke vriendin worden van die Linda.'

'Wat moet ik met die tut?' vraagt Valerie.

'Wat moet ik met die sukkel?' zegt Anouk. 'Dat kan ik ook wel zeggen. Dacht je dat ik erop zit te wachten om met zoiets te zoenen? En het moet nog maar lukken ook, want volgens mij heeft hij nog nooit een meid gehad.'

'Daarom moeten we ervoor zorgen dat Marco en jij hetzelfde kaartje hebben,' zegt Valerie. 'Dan zit hij voor de rest van de avond aan je vast. En ik ken mijn zus: al is het nog zo'n sukkel, tegen die tijd heb je hem wel versierd.'

Anouk heeft net drankjes besteld als Kars de microfoon pakt.

'Welkom allemaal op ons eiland,' zegt hij. 'Vanavond wordt ons Love Island geopend. Ik zal jullie eerst even uitleggen waarom we ons eiland Love Island hebben genoemd. Het heet zo omdat Amor zijn pijlen op dit eiland heeft gericht. En wij hebben hem een beetje geholpen.' Kars richt zich tot Annabel. 'Waarzegster Annabel, kunt u ons vertellen of de liefde vanavond zal toeslaan? Zullen Amors pijlen vanavond veel mensen op dit eiland treffen?'

Iedereen begint te lachen.

Annabel komt naast hem staan. Je kunt zien dat ze het een beetje eng vindt, maar toch loopt ze naar een meisje toe. 'Mag ik jouw toegangskaartje even zien?' vraagt ze. Het meisje haalt het uit haar zak.

'Dit is niet zomaar een toegangskaartje,' zegt Annabel. 'Er is nog iemand op het eiland die een kaartje met een beertje erop heeft. En die persoon kan jouw toekomstige lover zijn...'

'En mijn kaartje dan?' 'En het mijne?' Er komt meteen een groepje meiden naar Annabel toe. Ze noemt de diertjes een voor een op. 'Een lieveheersbeestje, een vlinder, en jij hebt een poesje. Ook van jullie kaartje is er een tweede. Zoek vanavond degene die hetzelfde diertje op zijn kaartje heeft als jij.'

Een stel meiden begint al rond te lopen. 'Wacht even!' roept Annabel. 'Dit is nog niet alles. Als je wilt weten of het wat tussen jullie kan worden, kom dan naar de waarzeggershut. Daar zit ik met mijn glazen bol waarin ik jullie toekomst kan zien.'

De muziek begint te spelen. Iedereen haalt nieuwsgierig zijn kaartje tevoorschijn. Valerie en Anouk gluren naar Marco. 'Aha, een konijntje,' zeggen ze tegen elkaar, 'dat moet makkelijk te vinden zijn.'

'Ik breng het drinken wel naar ze toe,' zegt Anouk. 'Zorg jij er maar voor dat je het tweede konijntje te pakken krijgt.'

Valerie kijkt naar elk meisje dat een kaartje in haar handen heeft. Ze ziet allerlei dieren. Een vos, een vogel, een bij... Er moet toch iemand met een konijn op haar kaartje zijn, maar wie? Ineens ziet ze het. O, dat kaartje heb ik zo te pakken, denkt ze als ze het meisje bekijkt. Ze haalt haar eigen kaartje uit haar zak en houdt het in haar hand, zodat ze het zo kan verwisselen.

'Hé, hallo,' zegt ze en ze blijft voor het meisje staan. 'Volgens mij ken ik jou ergens van.'

Het meisje kijkt haar aan. 'Ik weet het niet.'

'Waar kom je vandaan?' vraagt Valerie.

'Ik woon in Overijssel.'

'O nee, dan vergis ik me. Grappig, je lijkt sprekend op iemand die ik ken. Leuk feest, hè? Maar wel een beetje eng met die kaartjes. Durf jij de jongen te zoeken die bij jouw kaartje hoort? Is dit jouw kaartje?'

'Ja.'

'Weet je het zeker? Op de achterkant moet een tekentje staan, maar dat zie ik bij jou niet. Mag ik eens kijken?' Voordat het meisje zegt dat het goed is, heeft Valerie het kaartje al te pakken. 'O, help.' Ze laat het vallen en dan wisselt ze het vlug om met het kaartje in haar hand.

'Alsjeblieft,' zegt ze. 'Ik zie geen tekentje, maar het zal wel goed zijn.'

'Hé, een muisje,' zegt het meisje verbaasd. 'Op mijn kaartje stond toch een konijntje?'

'Hè ja,' zegt Valerie. 'Laat het nog een keer vallen, misschien staat er dan ineens een olifant op, nou goed.' En met het konijnenkaartje in haar zak loopt ze weg.

Jules staat maar te bakken. Het lijkt wel of iedereen een crêpe wil. In het begin mislukken er nog een paar, maar hij krijgt er steeds meer grip op.

'Wie nu?' vraagt Jules.

'Ik ben,' zegt een jongen.

'Dat mocht je willen,' roept een ander. 'Ik sta hier veel langer.'

'Geen ruziemaken,' zegt Jules. 'Het is feest, weten jullie nog? Iedereen komt aan de beurt.' Eigenlijk is het te gek dat hij in zijn eentje staat. Jules kijkt of Kars in de buurt is. Maar dan ziet hij dat Kars Isa helpt met serveren. Nou ja, dan moet iedereen maar een beetje langer wachten. Nee hè, hij smeert de chocola naast de crêpe in plaats van erop! Hij is er ook niet bij met zijn hoofd. Hij denkt steeds aan zijn vader. Vanmiddag is hij nog bij hem langs geweest. Hij vond het wel eng. Als hij er nog maar is, dacht hij de hele weg. Na gisteren is het toch niet meer zo vanzelfsprekend. Toen hij zijn fiets voor de kliniek zette, sloeg de spanning toe. Hij voelde dat hij trilde toen hij naar binnen ging. In de gang liep een verpleegster. Ze zag hem en kwam meteen naar hem toe. Shit, dacht Jules. Het is mis.

'Het gaat goed, hoor,' zei ze. 'Je vader zit in de tuin.'

Jules kon haar wel omhelzen. Zijn vader zat bij de vijver. Hij was prima te spreken. Misschien was hij wel door het ergste heen. Jules giet een lepel beslag over de plaat uit. Hij denkt aan de antiekwinkel van zijn vader. Wat was zijn vader daar vroeger trots op. Zou die dan toch weer opengaan?

'Een chocoladecrêpe.' Jules rekent af. Zo te horen heeft hij een sms'je. Daar heeft hij nu geen tijd voor. Maar dan bedenkt hij dat het van Nona kan zijn. Wat zou ze schrijven? Misschien is ze woedend dat hij haar een sms heeft gestuurd. Als dat zo is, wordt het er niet leuker op als ze terugkomt. Ze kunnen elkaar toch niet voortdurend ontlopen? Jules bedenkt van alles.

Hij kan maar beter kijken, voordat er zo meteen weer een crêpe aanbrandt. Terwijl de crêpe gaar wordt, haalt hij zijn mobiel uit zijn zak en opent het sms'je. Ja, hoor, het is van Nona.

Misschien heb je wel gelijk en moeten wij gewoon vrienden blijven.
Het is hier vet gaaf!
Liefs, Nona

Jules zucht opgelucht. Wat een werelddag is dit! Hij kijkt naar de rij; die wordt steeds langer, maar hij schiet niet in de stress. Vandaag kan hij echt alles aan.

13

Brian loopt over het eiland. Wat heeft hij veel kaartjes verkocht! Dat hadden ze echt niet gedacht. Iedereen was ook zo enthousiast. Maar nu begint het vervelende gedeelte van de avond. Wat moet hij op dat feest?

'Hé broer!' roept Edgar vanachter de bar. 'Ik weet al waarom jij zo somber kijkt.'

'Wat nou somber?' zegt Brian. 'Let op jezelf, man.'

'Jij hebt geen kaartje,' zegt Edgar. 'Daar baal je van. Want Annabel had juist zo'n goeie voorspelling voor je. En daar heb je wel een kaartje voor nodig, anders kan die natuurlijk niet uitkomen.'

Brian vindt het allang fijn dat zijn broer dat denkt.

'Ik ga jou nu heel gelukkig maken,' zegt Edgar, 'want ik heb er een voor je. En het is niet zomaar een kaartje: er hoort een supermeid bij. Toevallig zag ik dat ze hetzelfde kaartje in haar hand had. Voor mij is ze net iets te jong. Alsjeblieft. Het is de kans van je leven, man, en aan wie heb je dat te danken? Aan je broer. Niet gek, hè?'

Nee, hè? denkt Brian. Wat moet hij hier nou weer mee? Zo meteen komt dat meisje naar hem toe. Maar hij kan toch moeilijk tegen zijn broer zeggen dat hij het niet wil hebben? Dan moet hij het maar per ongeluk verliezen. En hij pakt het aan. 'Merci.'

'Ik hoor het wel,' zegt Edgar nog.

Brian kijkt naar het kaartje. Als hij doorloopt, steekt hij het half in zijn broekzak, zodat het er wel uit moet vallen.

Een eindje verderop gebeurt dat inderdaad. Zo, dat kaartje is hij kwijt, en hij loopt door.

'Hé!' Een meisje komt achter hem aan. 'Je verliest je kaartje.' En ze geeft het hem.

'Bedankt,' zegt Brian. Dit heeft dus geen zin. Hij kan het beter verscheuren en in het water gooien. Hij komt langs de crêperie. Wat heeft Jules het druk! Brian zou hem best willen helpen, maar hij doet het toch niet. Zijn verliefde gevoel is nog niet over. Hij voelt het helemaal in zijn maag. Hij kan niet eens naar Jules kijken zonder dat hij rood wordt. Niet aan denken. Hij loopt door naar de steiger. Maar Jules heeft hem al gezien.

'Hé Brian, ik heb hulp nodig!'

Hij gaat naar Jules toe.

'Helemaal te gek,' zegt Jules. 'Als jij nou chocopasta over de crêpes smeert en afrekent, scheelt dat al een heleboel.'

Je kunt wel merken dat ze nu met zijn tweeën zijn. Het gaat veel sneller. De rij is al haast weggewerkt.

'Super!' Jules slaat Brian op zijn schouder. 'Wij zijn een gouden duo, wist je dat? Wij moeten veel meer samen doen.'

Brian ziet een paar meiden langslopen. Hij denkt meteen aan het kaartje en haalt het gauw uit zijn zak. 'Dit is vast iets voor jou. Ik kreeg het van Edgar.' En hij geeft het kaartje aan Jules.

'Dank je wel. Ik hoef dat kaartje niet. Ik heb net mijn verkering uitgemaakt. Nona sms'te me. We zijn weer vrienden. Ik ga niet opnieuw beginnen.'

'Waarom heb je het eigenlijk uitgemaakt?'

Jules draait de crêpe om. 'Ik was niet meer verliefd. Ik vind Nona een topwijf, maar verliefd is iets anders. Dus...' Hij pakt het kaartje en verscheurt het. 'Laat ons maar lekker crêpes bakken. Dat vind ik veel leuker. We moeten trouwens weer eens samen op stap, wat zeg jij. Zonder meiden.

Nee! Op deze hoeft geen chocola. Wat doe je nou, man?'

'Sorry.' Brian is er niet bij met zijn hoofd. Hij denkt aan de woorden van Jules. *Wij moeten weer eens samen op stap zonder meiden...* Er gaat van alles door hem heen. Jules die toen per se met hem naar de grot wilde. Die zijn verkering heeft uitgemaakt en nu vraagt of ze weer eens samen op stap gaan. Zou Jules... zou Jules soms ook verliefd op hem zijn?

'Hè hè, volgens mij heeft iedereen iets te drinken.' Isa zet trots het lege blad op de bar.

'Mooi zo,' zegt Romeo. 'Dan kun jij wel even achter de bar gaan staan. Stef en ik hebben een belangrijke missie.'

'Ja, ik ken die belangrijke missies van jullie wel,' lacht Isa. 'Die gaan toch alleen maar over meiden. Terwijl jullie lekker op je vlot over het water dreven, heb ik me rot gelopen hier. En nou ga ik even naar Annabel kijken. Ik wil zien of het werkt, of ze ook echt naar haar toe komen. See you.'

Isa steekt haar tong naar de jongens uit en loopt weg. Als ze bij het waarzeggershutje komt, gaat net het gordijn open. Een jongen en een meisje komen met rode wangen naar buiten. Isa valt de hut binnen. 'Wat doe je het goed! Ik zag die twee net naar buiten komen. Ik weet niet wat je allemaal voorspeld hebt, maar ze waren vet onder de indruk. Dat mijn vriendin zoiets kan! Ik ben zo trots op je. Je bent echt de belangrijkste attractie van de avond, stoer toch?'

Annabel knikt.

'Vind je zelf ook dat het goed gaat?' vraagt Isa.

'Met het waarzeggen wel.'

'Je klinkt niet echt opgewekt. Hoezo met waarzeggen wel? Wat bedoel je daarmee?'

'Ah, niks. Laat maar, ik zeur.'

'Nou wil ik het weten ook. Ik ga niet eerder weg voor je me verteld hebt wat er aan de hand is.' Isa gaat zitten.

'Het gaat over Kars en mij. Ik weet niet of het nog wel zo goed zit tussen ons.'

'Ah nee!' roept Isa uit. 'Dat komt zeker door die flauwekul van Romeo. Het was maar een grapje. Hij speelde voor waarzegster. Je gelooft die onzin toch niet echt die hij uitkraamde? Kars heeft heus geen ander.'

'Dat dacht ik eerst ook. Tot ik hem bij die meid zag staan.'

'Waar heb je het over? Wanneer was dat?'

'Vlak voor het feest begon.'

'Wat haal jij nou in je hoofd?' zegt Isa. 'Sinds wanneer mag Kars met niemand meer praten? Je verwijt mij altijd dat ik spoken zie. Nou, ik denk nu toch echt dat je jezelf van alles in je hoofd haalt.'

'Jij hebt het niet gezien. Ze hing helemaal om zijn hals. Echt waar. Het leek net of ze iets hadden. En toen hij zag dat ik keek, werd hij knalrood. Dat klopt toch niet?'

Nu schrikt Isa ook wel. 'Welke meid was dat? Misschien ken ik haar.'

'Ik heb haar nooit eerder gezien.' Annabel steekt haar hoofd door het gordijn en tuurt over het eiland. 'Nee, ik zie haar nergens, maar het zag er echt heel close uit. O, daar komt weer een stel aan, ik moet aan het werk.'

'We hebben het er nog wel over.' Isa staat op.

Waar zijn ze nou gebleven? Valerie zoekt Anouk en de anderen. Toen ze wegging, stonden ze ergens bij de bar. Aha, ineens ziet ze Linda. Ja, hoor, Anouk staat bij haar.

Valerie stoot haar zus aan en stopt stiekem het kaartje in haar zak. 'Moet jij niet eens gaan zoeken bij wie je hoort?'

Anouk begrijpt meteen dat de missie geslaagd is. 'Ik was het helemaal vergeten,' zegt Anouk. 'We deden net zo'n leuke ontdekking. Linda zit ook op hockey.'

Linda knikt enthousiast. 'Vorig jaar ben ik op hockeykamp geweest. Jullie ook, hè?'

'Ja, eh... Ja, dat doen we elk jaar,' zegt Valerie gauw. 'Dat vinden we heel leuk. Daar hebben we onze beste vriendinnen ontmoet, hè Anouk? Daar mailen we nog steeds mee en laatst hebben we met het hele team ge-msn't.'

Anouk knikt. 'Maar, eh, nu wil ik wel eens een leuk vriendje. Daarom ga ik maar even kijken of ik iemand vind met hetzelfde kaartje.'

'Wat heb jij eigenlijk voor dier?' vraagt Valerie.

'Dat weet ik niet eens. Ik durfde steeds niet te kijken.' Anouk haalt het kaartje uit haar zak. Intussen gluurt ze naar Marco, die een eindje verderop met iemand staat te praten.

En Anouk doet haar hand open. 'Ik heb een konijntje.'

'Een konijntje?' zegt Linda. 'Dat heeft Marco ook.'

'Nee, dat kan nooit,' lacht Anouk. 'Dat zou wel heel maf zijn.'

'Marco!' roept Linda. 'Laat je kaartje eens zien?'

Terwijl Marco doorpraat, houdt hij zijn kaartje op.

'Wat?' Anouk doet net of ze heel verbaasd is.

Linda pakt Anouks kaartje en ze loopt ermee naar Marco. 'Van wie is dit? Toch niet van jou, hè?' vraagt Marco. 'Ik ga niet met mijn nicht.'

'Van wie wil je dat het is?' vraagt Valerie.

'Van een leuke meid natuurlijk,' zegt Marco.

'Het is van mij,' zegt Anouk.

Marco wordt rood.

'Zo,' zegt de jongen met wie hij praat. 'Bof jij even. Ik laat jullie maar gauw alleen.'

'Vind je dat nou niet bijzonder?' zegt Anouk. 'Ik sta al de hele tijd naast je en ik wist van niks.'

'Het lijkt wel voorbestemd,' zegt Valerie. 'Jullie moeten naar de waarzegster, toch, Linda?'

Dat vindt Linda ook. 'Ik wil wel eens weten of het iets wordt met jullie.'

'Ik ook,' zegt Valerie. 'Dat lijkt me leuk. Dan worden wij familie en dan gaan we samen op hockeykamp.'

'Ja,' zegt Linda. 'Anouk houdt ook van hockeyen.'

'Nee, hè?' Marco grijpt naar zijn hoofd.

In de verte ziet Anouk Kars lopen. Ze rent op hem af. 'Je gelooft nooit met wie ik zo meteen naar de waarzegster ga.'

'Geen idee.'

'Ik was heel graag met jou gegaan,' zegt Anouk. 'Maar nu ga ik met een boy die ik ook heel schattig vind. Marco. We hebben alle twee een konijntje.'

'Gefeliciteerd!' Kars denkt maar één ding: van Anouk moet hij echt af. Zoals ze nou weer om hem heen hangt. Die twee moeten verkering krijgen.

'Ik moet weg,' zegt hij en hij gaat gauw naar Annabel.

Als hij bij het waarzeggershutje komt, is het gordijn nog dicht. Hij hoort Annabel praten. Wat doet ze dat toch goed. Hij zou haar echt niet voor Anouk willen ruilen. Zodra het gordijn open is, gaat hij naar binnen.

'Hoi.' Hij geeft Annabel een kus. 'Straks komt Marco hier met een meisje.'

Wat kan jou Marco schelen, denkt Annabel. 'Ze heeft lang blond haar en een geel T-shirt aan.' Annabel weet het meteen. Dat is d'r! denkt ze. Dat is die meid...

'Ik wil dat je iets speciaals voorspelt,' zegt Kars.

Dat dacht ik al, denkt Annabel. Jij bent jaloers op Marco. Je wilt zelf met haar zoenen. Ik moet zeker zeggen dat het niks kan worden tussen die twee. En dan kun jij met haar... Zie je wel dat ze het goed gezien heeft. Ze voelt dat ze kwaad wordt. Dat Kars dat durft! Hij kan ophoepelen met zijn waarzeggershutje. Dan staat hij tenminste zelf voor gek. Nee, de waarzegster is er niet meer. Ze heeft helemaal geen zin meer om de toekomst te voorspellen. Het hele Love Island kan haar gestolen worden. En Timboektoe ook. Morgen gaat ze met de trein naar haar ouders.

'Weet je wat je moet zeggen?' vraagt Kars. 'Dat ze heel verliefd worden en dat het nooit meer uitgaat. Wil je dat doen?'

Wat? Annabel kijkt Kars verwonderd aan. Heeft ze het wel goed gehoord? 'Dus ik moet zeggen...'

'Zeg maar dat ze het stel van het jaar zijn.' Kars kijkt op zijn mobiel. 'De vliegende kiep moet weer aan het werk.'

Annabel kijkt hem na.

'Kars!' roept ze. 'I love you,' zegt ze als hij zich omdraait. En voordat de nieuwe bezoekers binnen zijn sms't ze snel naar Isa: 'Don't worry, everything allright!'

'Ik denk dat ik ook maar eens ga kijken bij wie ik hoor,' zegt Linda als haar glas leeg is.

'Hé, kun je niet uitkijken!' Valerie geeft een jongen een duw. 'Wat een eikel, hij gaat zo met zijn sigaret langs mijn arm.'

'We staan ook wel op een heel druk plekje,' zegt Linda. 'Iedereen komt hier langs om naar de bar te gaan. Weet jij al bij wie je hoort?' vraagt ze als ze een eindje verderop zijn gaan staan.

'Nee, dank je wel. Na dat verhaal in de krant hoeft het van mij niet meer.'

'Welk verhaal?'

'O, dat heb jij natuurlijk niet gelezen. Wij wonen hier, dus we weten alles van de omgeving. Hier in de buurt hadden ze ergens net zo'n feest als dit. En daar is een meisje gestrikt door een loverboy. Wel eens van gehoord?'

'Dat zijn toch die jongens die net doen alsof ze verliefd op je zijn?'

'Ja, en dan zorgen ze ervoor dat je helemaal in hun ban raakt en daarna dwingen ze je om geld voor ze te verdienen door de hoer te spelen.'

'Maar die zijn hier toch niet?'

'Ik kan je er zo een paar aanwijzen. Dat soort komt juist op dit soort feesten af. Je hebt het helemaal niet door. Een meisje dat ik ken, heeft hier in het dorp ook een loverboy gehad. Ze is helemaal kapot. Echt, niks meer van over. En weet je waar ze die had ontmoet? Hier op de camping toen de disco werd geopend.'

'Wat eng!' Linda schrikt.

'Ja. Daarom was ik zo blij dat Anouk hetzelfde kaartje had als Marco. Mijn zus is heel goed van vertrouwen. Ze loopt er zo in. Die daar bijvoorbeeld, zie je dat joch dat met dat meisje met die blauwe rok danst? Dat is ook zo'n gast. Ik ken hem toevallig.'

'Dat zou je nooit van die jongen denken.'

'Nee, daarom is het ook zo eng, je ziet het niet. Dus opletten, hè, dat bedoel ik maar.'

'Ik weet niet of ik er nog wel zo'n zin in heb.'

'Doe het dan niet, dan gaan wij lekker samen lol maken. Kom mee.' Valerie trekt Linda mee naar de plek waar gedanst wordt en begint te swingen.

'Ik vind het best een beetje eng,' zegt Anouk als ze naar de waarzeggershut lopen.

'Wat?' vraagt Marco. Ze komen vlak langs de muziek en die staat keihard.

'Ik zei dat ik het best een beetje eng vind!' schreeuwt Anouk. 'En jij?'

'Een beetje maf is het wel,' schreeuwt ook Marco boven de muziek uit. 'Maar het is toch allemaal onzin wat ze zegt. Ik wil het wel eens horen.'

'Mijn oren,' zegt Anouk als ze voorbij de boxen zijn. 'Ze tuten helemaal.'

Annabel ziet hen al aan komen. Ze schaamt zich als ze Anouk ziet. Ze wilde Kars helemaal niet versieren, dat is wel duidelijk. Ze is op Marco. Het druipt van haar gezicht af. Zelf snapt ze ook niet waarom ze dat opeens dacht. Misschien kwam het toch door de voorspelling van Romeola. Om het goed te maken moet ze maar een extra romantische toekomst voor het meisje voorspellen.

'Hoi,' zegt Anouk. 'Wij willen dat je onze toekomst voorspelt.'

'Gaan jullie maar zitten. Ik zal eens even kijken wat er voor jullie staat aan te komen.' Annabel kijkt in haar bol.

Anouk begint te grinniken. 'Het is wel gek, hoor, een paar uur geleden kenden we elkaar niet eens en nu zitten we hier.'

'Dat zie ik in mijn bol,' zegt Annabel. 'Jullie zijn vanavond door Amor hier op het Love Island bij elkaar gebracht.'

'Het is net of ik Marco al heel lang ken,' zegt Anouk. 'Echt, toen ik je zag leek het heel vertrouwd. Had jij dat ook?'

'Nou, eh... het was wel gezellig,' zegt Marco. 'Ik heb er eigenlijk nog niet over nagedacht.'

Annabel kijkt in haar bol. 'Toch zie ik dat het je niet meer loslaat, Marco.'

'Gaaf!' zegt Anouk. 'Dus we zien elkaar nog na het feest?'

'Ik zie hier inderdaad een ontmoeting...'

'Zeker heel gauw?' zegt Anouk. 'Mag ik raden? Morgenmiddag?'

'Dat zou heel goed kunnen,' zegt Annabel. 'Ik zie dat het op een zondag is, de eerste zondag die eraan komt.'

'Zie je wel, dat is morgen! Ik vind het hartstikke leuk om Marco's familie te ontmoeten. Raar, hè, dat heb ik nou altijd. Ik ben altijd heel benieuwd bij wie iemand hoort. Of vindt Marco's familie mij niet aardig? Ja, dat wil ik dan ook wel even weten.'

'Dat moet ik eens even bekijken. Ik zie blije gezichten... heel veel gelach. Ja, het klikt helemaal.'

'Dus we krijgen echt verkering?' vraagt Anouk.

Annabel knikt. 'Ja, maar nog niet meteen. Het gaat langzaam tussen jullie groeien. Eerst zijn jullie alleen maar vrienden en dan... Dan zie ik vuur en hitte...'

'Nou, bedankt.' Lachend lopen ze de waarzeggershut uit.

'Ik vond het wel geinig,' zegt Marco. 'Maar ik geloof er niks van.'

'Ik ook niet echt, maar toch moet ik weten of het klopt. Als ik morgen jouw familie ontmoet en het klikt helemaal niet is de rest ook onzin. Kom op, we gaan dansen.'

Anouk en Marco zijn aan het swingen als Linda en Valerie hen zien.

'Hé, hoe was het?' vraagt Valerie als de muziek even stopt.

'Volgens de waarzegster worden we heel erg verliefd,' zegt Anouk. 'En ik schijn de familie van Marco leuk te vinden.'

'O jee...' zucht Valerie. 'Ik ken je, zus. Jij wilt natuurlijk weten of het waar is. Ja, zo is ze. Ze moet altijd alles onderzoeken. Mijn zus wordt vast wetenschapper.'

'Zo ben ik nou eenmaal,' lacht Anouk. 'Laat mij nou maar. Ik kom morgen gewoon bij jullie tent. En dan zien we het wel. Dat vind je toch wel goed?' Ze kijkt Marco aan.

'Ik vind het best,' lacht Marco.

'Dan kom ik ook,' zegt Valerie. 'Jullie kamperen toch naast elkaar? Misschien kunnen we dan iets leuks doen met zijn vieren.'

'Als ik maar niet hoef te hockeyen,' zegt Marco. 'Verder vind ik alles best.'

'Wees maar niet bang,' zegt Linda. 'Dat gaat helemaal niet met zijn vieren. Daar heb je wel twee teams voor nodig, hoor.'

'Hockey, leuk! Als we dat tegen papa vertellen organiseert hij zo een hockeytoernooi op de camping,' zegt Anouk.

'Hebben jullie ook een camping?' Linda en Marco zijn allebei heel verbaasd.

'Ja,' zegt Valerie. 'Paradiso heet die. Het is heel anders dan hier, hoor. Wij doen heel veel aan sport. Waar hou jij eigenlijk van?' vraagt ze aan Marco. 'Of ben je niet sportief?'

'Marco is hartstikke sportief,' zegt Linda. 'Weet je waar hij helemaal maf van is? Van raften.'

'Nee!' roept Valerie uit. 'Dat is nou wel weer toevallig, hè? Mijn vader gaat altijd raften. Als je wilt, mag je zo een keer met hem mee.'

'Echt?' vraagt Marco.

Anouk knikt. 'Op de camping organiseert hij twee dagen raften.'

'Dat zal we lekker duur zijn,' zegt Marco.

'Ja, behalve voor onze vrienden, dan is het gratis. Kom maar een keer langs. Tenminste, als het morgen klikt tussen je ouders en mij, anders geloof ik nergens meer in.'

'Heb je haar weer met die ouders,' zegt Valerie.

'Laat mij toch. Als ik daar nou lol in heb? Geef even je mobiele nummer,' zegt Anouk tegen Marco. 'Dan kan ik bellen als er iets tussen komt. Soms is het zo druk op onze camping, dan kan mijn vader ons niet brengen.'

Marco geeft haar zijn nummer. En Valerie zet Linda's nummer in haar mobiel. De twee zussen geven elkaar een knipoog. Dat hebben ze tenminste.

Het feest is afgelopen. Romeo en Stef hebben net het laatste vrachtje feestgangers bij de steiger afgezet. Ze hoeven alleen de crew nog op te halen. Als ze aan komen varen staat iedereen al klaar.

Ze zijn zo vol van hun feest dat ze zo aan de overkant zijn.

'Nog een biertje, jongens?' vraagt Kars als ze van het vlot stappen.

'Dat dacht ik toch wel, hè?' zegt Romeo. 'Dat hebben we wel verdiend.'

'Applaus,' zegt oma als ze de kantine in komen. 'Deze avond heeft heel wat opgeleverd. Het begin van de Hydrospeed-uitrusting is er.'

Ze beginnen allemaal te juichen.

'Willen jullie nog iets lekkers, jongens?' vraagt oma.

'Jules en Brian willen nog graag een paar crêpes,' zegt Stef.

'Hou op!' roept Jules. 'We kunnen geen crêpes meer zien.'

'Maar een paar lekkere bitterballen lusten jullie toch zeker wel?' Oma laat een grote portie in de frituur zakken.

'Mmmm, wat ruikt het lekker, daar hoort een biertje bij.' Kars doet de koelkast open en haalt de blikjes bier eruit.

'Zo, jongens,' zegt oma als ze gezellig rond de tafel zitten. 'Wat een belangstelling was er. Het gaat heel goed. Als het zo doorgaat, hoeven we echt niet meer bang voor die concurrent te zijn.'

'Skol.' Ze trekken de blikjes open en nemen een slok.

'Timboektoe rules!' roept Romeo.

En dan vallen ze hem allemaal bij. 'Timboektoe rules!'

Brian zit naast Jules. Hij had nooit gedacht dat het zo'n goeie avond zou worden. Hij herinnert zich nog het moment dat Edgar hem het kaartje gaf. Het liefst was hij meteen teruggezwommen. Het is dat Jules hem riep. Nu is hij tot het laatst gebleven. De hele avond heeft hij zijn vriend in de crêperie geholpen. Die vervelende spanning die hij de laatste tijd voelde als hij bij Jules in de buurt was, is helemaal weg. Dat komt door Jules. Nu slaat hij Brian ook weer op zijn schouder. 'Wij zijn een gouden duo!' zegt hij steeds. 'Weten jullie hoeveel crêpes we hebben verkocht?'

'Dat heb je op het vlot wel tien keer verteld.'

'Dat kan me niks schelen,' lacht Jules. Hij is de enige die nuchter is en cola drinkt. Alcohol drinkt Jules niet, dat komt door zijn vader. Maar het lijkt wel alsof hij een paar biertjes op heeft. Hij is ook zo opgelucht. Alles gaat goed: zijn vader en het sms'je van Nona.

'Brian is de beste! Je bent helemaal top!'

'Hoe zit het eigenlijk, broertje?' vraagt Edgar. 'Heb je nog beet gehad vanavond? Ik heb je toch alle kans gegeven met dat kaartje. Heb je nog een beginnetje gemaakt met de liefde?'

'Ja, dat had hij gedroomd,' zegt Jules. 'Dat kaartje heb ik persoonlijk verscheurd. Hij had helemaal geen tijd voor een meid. Hij moest mij helpen.'

Zie je wel, denkt Brian, Jules wil niet dat ik verkering neem. In geen tijden heeft hij zich zo gelukkig gevoeld. Als Jules ook op hem is, dan kan het hem niks meer schelen dat hij homo is. Dan mag iedereen het weten. Dan kan hij alles aan, dat weet hij zeker.

'Zal ik jullie eens wat vertellen?' zegt Jules. 'Brian en ik gaan een kanotocht maken. En dan nemen we een tentje mee.'

'Als ik dat maar mag,' zucht Brian.

'Vast wel, en anders moet ik maar een goed woordje voor je doen.' Oma haalt de bitterballen uit het vet en legt ze op een schaal.

'Tast toe, jongens, jullie hebben het verdiend,' zegt ze en ze zet de schaal op tafel.

'Au!' Brian is zo in gedachten verzonken dat hij een gloeiendhete bitterbal in zijn mond stopt.

14

Zodra Brian 's morgens wakker wordt, denkt hij aan het voorstel van Jules. Hij hoopt zo dat zijn moeder toestemming geeft. Hij wacht tot hij haar in de voortent hoort rommelen en dan staat hij meteen op.

'Jij bent vroeg!' Zijn moeder kijkt verrast op. De laatste week bleef Brian steeds langer in zijn tent. Ze maakte zich zelfs zorgen om hem.

'Het was zeker leuk gisteravond?'

'Heel gaaf!' zegt Brian. 'Jules en ik willen samen een kanotocht maken.'

'Dat kan toch?'

'Ja, maar we willen ook het tentje meenemen.'

'Je bedoelt dat jullie een paar dagen wegblijven?'

Zijn moeder stopt met tafeldekken. Ze vindt het niet zo'n prettige gedachte dat de jongens dan onbeschermd kamperen. Ze kijkt naar Brians gezicht. Na het gedoe met de muurschildering heeft ze hem niet meer zo zien stralen. Hij is vast verliefd geworden, denkt ze, en het lijkt erop dat het dit keer wel van twee kanten komt.

'Je mag van mij twee nachten kamperen,' zegt ze. 'Maar wel op een camping.'

'Great!' roept Brian. 'Je bent een supermam.' En hij geeft zijn moeder een kus.

Tien minuten later loopt Brian over de camping. Waarschijnlijk is hij de enige van de crew die zo vroeg op is. Ze slapen vast allemaal uit. Dan moet Jules maar wakker worden. Hij moet het hem vertellen. Als hij langs de kantine komt, ziet hij vaders met kleine kinderen met een stokbrood naar buiten komen. Voor Jules' tent houdt hij stil.

'Hé Jules!' roept hij.

Jules is al wakker. 'Hé grote vriend van me,' zegt hij.

'Ik heb het gevraagd,' zegt Brian. 'Mijn moeder vindt het goed. Als we maar op een camping gaan staan.'

'Dan doen we dat toch?'

Jules is zijn bed al uit en zoekt een kaart. Hij vouwt hem open en legt hem op het gras.

'Als we 's morgens vroeg vertrekken dan varen we de rivier af. Ik denk dat we ergens hier belanden, bij dit plaatsje, daar is ook een camping. Die stelt niks voor, maar dat maakt ons niks uit. Ik ben er wel eens geweest. Voor ons is het prima.'

'Wanneer gaan we?' vraagt Brian.

'Wat mij betreft vandaag al,' zegt Jules. 'Ik ga eerst even langs mijn pa en dan vertrekken we vroeg.'

'Gaaf!' zegt Brian. Dat alles ineens zo kan veranderen. Gisteren was hij nog zo somber en moet je hem nu zien. Hij krijgt een bal in zijn nek. Meestal wordt hij daar kwaad om. 'Kun je niet uitkijken?' zegt hij dan. 'Vangen!' roept hij en hij gooit hem terug.

'Stop hier maar, pappie,' zegt Anouk als hun vader de weg naar de camping op wil rijden. 'De rest lopen we wel.'

'Weet je het zeker? Dat is nog best een eindje.'

'Nee, hier gaan we eruit.' Anouk geeft haar vader een zoen. 'Het staat zo kinderachtig als ze zien dat jij ons hebt gebracht.'

'Mij best, veel plezier dan maar.' Hun vader zwaait nog als ze zijn uitgestapt en dan rijdt hij weg.

'Hadden we niet wat later kunnen uitstappen?' moppert Valerie. ‘Nou kunnen we dat hele stomme stuk lopen. Als we nou lekker winkels konden kijken onderweg, maar hier is geen klap te zien. Alleen maar duffe natuur. En het is nog stikheet ook.’

Anouk smeert wat zonnebrand op haar gezicht. ‘Ze moeten toch denken dat we stiekem naar Timboektoe zijn gekomen? En ons zeker wel door papa laten afzetten! Dan gelooft niemand ons meer. Het komt trouwens goed uit, want we moeten mijn plan ook nog doorpraten.’

‘Kom maar op met je plan,’ zegt Valerie.

‘Eerst gaan we die papa’s en mama’s van Marco en Linda even lekker opfokken.’

‘Ja, dat wisten we allang.’

‘En daarna gaan we zwemmen, zonder onze mobiels. Dan ga ik terug naar de tent en stuur ik een sms’je naar Marco en Linda waar de papa’s en mama’s helemaal van uit hun dak gaan. Hoe vind je dat? En daarna trakteren we ze nog op een anoniem telefoontje. En wat dacht je van Sweetmemory?’

‘Dus dat is jouw plan?’ vraagt Valerie.

‘Ja.’

‘Hoe wou je dat nou doen? Die ouders zien toch dat het sms’je van jou komt?’

‘Nee, helemaal niet.’

‘Heb jij wel eens een sms’je gestuurd?’

‘Ja, logisch.’

‘Wat zie je dan boven in het schermpje?’ vraagt Valerie. ‘Ja, zeg het maar: de naam van de afzender. Dan weten ze toch meteen dat het van jou komt? Nou, je bent leuk. We hebben dus helemaal geen plan. We kunnen net zo goed niet gaan.’ Ze blijft demonstratief staan.

‘Luister nou even naar je slimme zus.’

'Ja, ik weet het wel. Jij wilt toch gaan, maar als we geen plan hebben, is het zinloos. Ik ga niet voor mijn lol de hele middag met die tut doorbrengen.' Valerie draait zich om en loopt terug.

'Denk je nou dat ik gek ben? Ze krijgen helemaal geen naam te zien als ik sms. Alleen een nummer, een nummer dat ze niet kennen. Kijk dan wat ik hier heb?'

Als Valerie omkijkt, houdt Anouk een mobiel omhoog.

'Je hebt dat prepaid dingetje meegenomen dat je van oma hebt gekregen!' Valerie komt meteen naar haar zus toe.

'Ik wist niet eens meer dat je dat nog had,' zegt ze als ze weer doorlopen. 'Gaaf! Ik had nooit gedacht dat we dat stomme ding nog konden gebruiken.'

'Nee,' zegt Anouk. 'Jij was zo kwaad dat we zo'n goedkoop kreng kregen dat je het meteen hebt weggesmeten. Maar ik wist dat we het nog eens nodig zouden hebben. Ssst...' waarschuwt ze als er toeristen langsfietsen. 'Die komen vast van Timboektoe. Ze mogen niks in de gaten hebben. Hé sukkels,' fluistert ze zachtjes. 'Over een tijdje staan jullie op onze camping.'

'Paradiso, allemaal naar Paradiso,' zingt Valerie.

Grinnikend lopen ze door.

'Waar stonden ze ook alweer?' vraagt Anouk als ze de camping op lopen.

'Op het grote veld, die tut wees naar ergens daarachter. Dan moeten we langs dat stinkhok.' Valerie houdt haar neus dicht als ze langs het washok lopen.

'Staan ze daar?' Anouk blijft staan.

'Noemen ze dat het grote veld?' Valerie moet lachen. 'Moet je die tenten zien, allemaal tweedehandstroep,' zegt ze. 'Ik vind kamperen toch al zo erg. Als wij met vakantie gaan, slapen we tenminste in een luxehotel.'

'Ja,' zegt Anouk 'Als er geen jacuzzi in zit, wil mama er gelukkig al niet heen.'

'En papa moet altijd een jet-douche. Daar heb je dat slome joch van jou.' Valerie knijpt in Anouks hand. 'En mijn hartsvriendin is er ook.'

'Nu serieus!' Anouk loopt het veld op. 'Hoi!' En ze zwaaien hartelijk naar de twee anderen.

Marco en Linda komen meteen naar hen toe.

'Welke tent is van jullie?' vraagt Valerie.

'Die blauwe is van ons,' vertelt Marco. 'En die ernaast is van Linda.'

'Gaaf, hoor,' zegt Anouk. 'Ik zou hier best willen kamperen.'

Marco gaat hen voor naar de tent. 'Nou, je wilt mijn ouders toch zien? Daar zit mijn moeder. Waar mijn pa is, weet ik niet. Mam, dit is Anouk en dit is haar zus, Valerie.'

'Dag mevrouw.' Ze geven Marco's moeder beleefd een hand. 'Wat een mooie plek hebt u hier.'

'Heerlijk, hè? Zeg maar Els, hoor. Ja, wij zijn heel dol op ons plekje.'

'Goed dat jullie er zijn,' zegt Linda.

'Eigenlijk zijn we hier niet, hè?' zegt Anouk. 'We zijn zogenaamd bij een vriendin van ons.'

Els begrijpt het. 'Ik snap wel dat je ouders niet willen dat je zomaar bij een wildvreemde jongen op bezoek gaat. Tegenwoordig moet je ook voorzichtig zijn.'

'Het gaat eigenlijk niet om Marco,' zegt Valerie. 'Het gaat meer om deze camping.'

'Wat bedoel je?' vraagt Els.

'Ik heb toch van die loverboys verteld?' zegt Linda. 'Daar is hun vader bang voor.'

'Daar ben ik ook niet blij mee,' bekent Els. 'Maar gelukkig ben jij verstandig.' Ze kijkt naar Linda.

'Het zijn niet alleen de loverboys,' zegt Valerie. 'Er is meer waar mijn vader heel bezorgd om is.'

'Ah, zie je wel, Jaap, hier komt die heerlijke koffiegeur vandaan.' De ouders van Linda en Marco's vader komen er ook bij.

'Dit zijn Anouk en Valerie,' stelt Linda hen voor.

'Jullie hebben elkaar gisteravond ontmoet,' zegt de moeder van Linda. 'Ik ben Machteld en dat is Jaap.'

'En ik ben Tom,' zegt de vader van Marco. 'Jullie komen van Paradiso, hè? Ik weet waar de camping ligt. Dat is toch best nog een eindje hier vandaan.'

'Hun vader mag niet weten dat ze hier zijn,' zegt Linda.

'Hij hoeft niet zo bezorgd te zijn,' zegt Machteld. 'Wij zijn hier heel tevreden.'

'Nou,' zegt Jaap, 'dat verhaal over die loverboys staat me anders niks aan.'

'Ach,' zegt Valerie, 'dat zeggen ze in het dorp.'

'Ze zeggen zoveel in het dorp,' zegt Anouk. 'Dat is juist zo stom, want daar is papa van geschrokken.'

'Waarvan?' vraagt Jaap.

'Van het Love Island. In het dorp noemen ze het drugseiland.'

'Wat?' De volwassenen schrikken alle vier. 'Hebben jullie daar iets van gemerkt?' Ze kijken Marco en Linda aan.

'Weet ik veel,' bromt Marco.

'Wat een gezeur,' vindt Linda. 'Kom op, we gaan zwemmen. Of hebben jullie geen bikini bij je?'

'We hebben hem al aan,' zegt Anouk. 'We dachten al dat we

gingen zwemmen. Daarom hebben we expres geen mobiel meegenomen.'

'Heel verstandig,' zegt Els. 'Jullie moeten je mobiel ook in je tent leggen, zo meteen worden ze gepikt.'

'Dan kan ik zeker weer naar mijn tent,' zucht Linda. 'Ik leg 'm wel even bij jou.' En ze geeft haar mobiel aan Marco.

'We gaan, hoor!'

Jaap staat ook op. 'Ik loop toch even naar Ad, en daarna zal ik hier en daar nog eens informeren of iemand iets weet van drugs.'

'Ga ook eens langs de ouders van Jorien en die van Kim en Anne,' stelt Els voor. 'Misschien weten die er iets van.'

Valerie en Anouk denken alletwee hetzelfde: word maar goed bang, dit is nog maar het begin.

15

'En?' vraagt Linda als ze naar de rivier lopen. 'Wat vind je van Marco's familie?'

'Ze zeurden wel lekker vandaag,' zegt Marco.

'Helemaal niet,' gaat Anouk er tegenin. 'De waarzegster heeft het goed voorspeld. Ik vind jouw ouders echt tof. Die van jou trouwens ook, Linda. Als de rest van haar voorspellingen dan ook uitkomen...'

'Ja neef, dan krijg je verkering,' pest Linda.

Marco rent met een rood hoofd de steiger op en duikt het water in.

'Hij is verlegen, hoor!' lacht Linda en ze duikt haar neef achterna. 'Ja, je bent verlegen...'

Ze probeert hem onder te duwen, maar Marco zwemt snel weg.

'Het water is heerlijk!' roept Linda. 'Jullie moeten ook komen.'

'We moeten nog even wennen.' Valerie gaat naast Anouk op de steiger zitten met haar voeten in het water. 'Gatverdamme,' fluistert ze. 'Nou moeten we nog zwemmen ook.'

'Ik ga nog niet zwemmen, hoor,' zegt Anouk. 'Zeker met mijn mobiel het water in! Dan kunnen we ons plan wel vergeten.'

'Moet je die koter nou zien.' Valerie kijkt naar Marco, die op zijn handen in het water staat.

'Mijn verkering, nou goed,' grinnikt Anouk. 'Heel opwindend. Die kan zo naar de crèche.'

'Wanneer gaan we over tot operatie-drugseiland?' vraagt Valerie.

'Ik denk nu meteen,' zegt Anouk. 'Dan zijn we ervan af.'

'Wij komen ook!' roept Valerie. 'Het ziet er zo lekker uit!' Ze trekt haar kleren uit. Het lijkt erop dat ze gaat zwemmen, maar nog voordat ze één knoop los heeft, doet ze net of ze schrikt. 'We hebben papa en mama vergeten te bellen dat we goed zijn aangekomen.'

'Wat stom!' zegt Anouk. 'Zo meteen belt hij naar onze vriendin en dan hoort hij dat we daar helemaal niet zijn!'

'Als hij erachter komt dat we gelogen hebben, komen we in geen weken meer de deur uit,' zegt Valerie.

'Dan zou ik maar gauw bellen,' roept Marco vanuit het water.

'Hoe dan?' vraagt Anouk schijnheilig. 'We hebben toch geen mobiel bij ons?'

'Bel maar even met de mijne,' biedt Marco aan.

'Of de mijne. Zal ik meelopen?' Linda klimt al uit het water.

Anouk schrikt. 'Nee, ik ben zo terug.' En voordat Linda achter haar aan komt, holt ze weg.

'Ik ga wel even mee,' zegt Valerie. 'Zo meteen vraagt papa naar mij.'

'Zo, dat was op het nippertje,' fluistert Anouk. 'Nee tutje, jou kunnen we hier niet bij gebruiken.'

'Als de papa's en mama's er nog maar zijn.' Valerie holt een stukje vooruit. 'Ja, ik zie ze. Alleen papa Jaap is er niet. Die is op onderzoek. Doe maar lekker, papsie.'

'Ja, die is alvast een hartaanval aan het kweken.'

'Gaan jullie niet zwemmen?' vraagt de moeder van Linda.

'Jawel,' zegt Anouk. 'Maar we moeten onze ouders even bellen dat we goed zijn aangekomen, anders worden ze ongerust. We mogen Marco's mobiel gebruiken. Hij zei dat hij in zijn tent ligt.'

'Prima, hoor,' zegt Els. 'Je weet welke tent van Marco is, hè? Dat kleine groene tentje.'

Anouk ritst de tent open. 'Ja, daar ligt hij,' zegt ze en ze gaan de tent in.

Anouk haalt vliegensvlug haar eigen mobiel tevoorschijn en tikt een sms'je in.

Wat hebben we weer lekker geblowd hè? Dat doen we vaker.

Terwijl ze het sms'je naar Marco's mobiel verzendt, doet Valerie of ze haar vader probeert te bellen. 'Neem nou op, pap...' Ze zegt het expres keihard zodat de ouders van Linda en Marco het wel moeten horen. 'Nou, hij hoort ons weer eens niet. Dan bellen we straks nog maar een keer.'

Nu verzendt Anouk het sms'je. Valerie begint heel hard te hoesten, zodat ze buiten de sms-toon niet horen. Vol spanning kijkt Anouk naar het schermpje van Marco's mobiel. Valerie hoest en... het sms'je is binnen. Anouk maakt het gauw open en neemt de mobiel mee naar buiten.

'Zijn jullie ouders er niet?'

'Nee. Ze horen de telefoon weer eens niet.' Anouk legt de mobiel van Marco zo nonchalant mogelijk met het bericht open op het tafeltje. 'Ik probeer het zo nog wel een keer.'

'Zo is dat,' zegt Valerie. 'We gaan lekker zwemmen.'

Een eindje verderop verstoppen ze zich achter de struiken en gluren naar de familie van Linda en Marco, die voor de tent zit.

'Kijk dan naar die mobiel, slome sukkels,' fluisteren ze. Maar de volwassenen praten rustig door. Ze kunnen hier toch niet eeuwig blijven wachten? Zo meteen komt Linda kijken waar ze blijven en dan is hun hele plan verpest.

'Het wordt niks,' fluistert Anouk.

Maar als ze de vader van Linda aan zien komen, krijgen ze weer hoop. Misschien ziet die dat er een bericht op de mobiel staat.

'En?' horen ze de moeder van Marco vragen.

'Ad weet van niks. Maar hij schrok er wel van.'

'Hé, een sms'je.' De vader van Linda wil het lezen.

'Niet mee bemoeien,' zegt Marco's moeder. 'Dat is privé, Jaap.'

'Nou, ik weet niet of ik het daarmee eens ben,' zegt de vader van Marco. 'Nu er dit soort dingen worden rondverteld, wil ik dat bericht wel eens lezen. Ik vond dat Marco en Linda erg vreemd reageerden toen we naar die drugs vroegen.'

'Je denkt toch niet dat je eigen zoon...'

'Al die andere ouders dachten dat ook niet. Ik wil het weten. En hij leest voor wat er staat.

'Nee!' roept Marco's moeder geschrokken uit. 'Onze jongen! En wij maar denken dat het zo'n fijne camping is.'

Valerie stoot Anouk aan. Anouk stuurt nog een sms'je, maar nu naar Linda's mobiel.

'Wat hoor ik?' zegt Linda's vader. 'Is dat soms Linda's mobiel?'

'Volgens mij wel,' zegt Els. 'Haar mobiel ligt in Marco's tent.'

'Lezen dus!' Jaap loopt ernaartoe.

Vol spanning kijken de ouders naar Linda's vader, die het bericht opent.

'Dit geloof je niet!' Alle kleur trekt uit zijn gezicht weg.

'Zeg dan wat er staat!' roept Linda's moeder. Maar haar man kan geen woord uitbrengen. Ze grist de mobiel uit zijn handen en leest voor wat er staat.

Ik heb nog beter spul dan gisteren. Tot vanavond op het eiland...

'Nee! Waarom onze kinderen... Als het maar niet te laat is... Wie weet zijn ze al verslaafd...'

'Rustig blijven,' zegt Marco's vader. 'Geen paniek. Ik wil eerst wel eens van de kinderen horen hoe het zit.'

'Bellen!' sist Valerie.

Anouk tikt het nummer van Marco in.

Els kijkt op het scherm.'Anonieme oproep,' zegt ze.

'Laat gaan,' zegt Marco's vader. 'Dat is een of andere vriend.'

De telefoon blijft gaan. 'Het schijnt nogal belangrijk te zijn.' Els neemt op. 'Hallo,' zegt ze, 'dit is de telefoon van Marco.'

'En?' Haar man kijkt haar vragend aan.

'De verbinding is verbroken! Dat is toch wel erg vreemd.'

Ze heeft het nog niet gezegd of Linda's mobiel gaat af.

'Wel verdomme!' Jaap neemt op. 'Met Jaap, telefoon van Linda. Nou?' Hij zwijgt even. 'Hier klopt dus echt niks van. Er wordt zo opgehangen.'

De rest horen Anouk en Valerie niet meer, want ze rennen gauw naar de rivier.

'Het gaat lukken, zus! Wacht even.' Anouk gooit haar mobiel achter een struik. 'Oma, bedankt.'

Ze rennen door naar de steiger, gooien hun kleren uit en duiken het water in.

'Lekker?' vraagt Linda.

'Heerlijk!' zeggen ze stralend. 'Wat goed dat we naar Timboektoe zijn gekomen!'

Ze zijn nog maar net in het water, als Marco's vader op de steiger staat.

'Ik kom jullie halen,' zegt hij. 'We willen iets met jullie bespreken.' Voordat ze iets kunnen vragen, loopt hij alweer weg.

'Wat is dit nou weer voor gezeur?' Marco en Linda komen mopperend het water uit.

'Daar hoeven jullie niet bij te zijn, hoor,' zegt Linda. 'Als mijn oom zo kijkt, volgt er meestal een preek.'

'Wij gaan wel even iets drinken in de kantine,' zegt Anouk.

'Dat komt fantastisch uit,' zegt Valerie als ze naar de kantine lopen. 'Dan gaan wij even een bommetje op Sweetmemory loslaten.'

In de kantine staat Isa achter de bar.

'Hoi, willen jullie iets drinken?'

'Ja,' zegt Valerie. 'En we gaan ook iets op jullie site zetten. Het was top gisteravond.'

Ze wenkt Anouk dat ze Isa moet afleiden en gaat achter de computer zitten.

Anouk begint meteen te ratelen. 'Ik ben je broer zo dankbaar. Hij heeft me voorgesteld aan Marco en Linda... super.' En ze begint te vertellen.

Valerie tikt een bericht in.

Ik vond het een gaaf feest, schrijft ze. *Maar ik vond het wel belachelijk dat de beheerder die drugsdealers heeft binnengelaten. Ze gaven hem een paar briefjes van vijftig euro en ze kregen niks terug. Dat zag ik, want ik stond erbij. Ik denk trouwens dat veel meer mensen het gezien hebben. Ik vind het ook niet kunnen. Wat moeten die gasten hier? Hoeveel zou de beheerder daarvoor hebben gevangen? Robin*, zet ze eronder.

En dan tikt ze een reactie erop: *Hallo Robin, ik snap niet waar jij je mee bemoeit. Ik weet niet of je wel eens uitgaat, maar in elke disco zijn drugs te krijgen. Als je er niets mee te maken wilt hebben, dan doe je dat toch lekker niet? Ik weet dat er een heleboel gisteravond heerlijk hebben geblowd. Dus zeikkop dicht.*

Arjen.

Ze tikt nog een aantal andere berichten in die er niks mee te maken hebben, zodat het lijkt of de berichten van Robin en Arjen er allang op stonden voordat zij en haar zus binnenkwamen. En daaronder zet ze een Sweetmemory van zichzelf.

Een topfeest, ik heb twee heel gave vrienden ontmoet. Valerie.

'Je moet nog iets op de site zetten,' onderbreekt Valerie haar zus, die nog steeds tegen Isa aan praat.

'O ja.' Anouk gaat gauw achter de computer zitten en tikt:

Ik heb nog nooit zo lekker geswingd. Meer Timboektoe feesten! Anouk.

'Nou, eh, dan ga ik weer naar mijn lover,' zegt Anouk.

'Een verliefde zus is ook wat, hoor,' lacht Valerie en ze trekt haar zus mee.

Grinnikend lopen ze naar de tenten van Marco en Linda.

Van een afstandje horen ze de ouders preken.

'Als jullie zeggen dat je er echt niks mee te maken hebt,' horen ze Jaap zeggen, 'dan wil ik het geloven. Maar ik heb liever dat jullie je mobiel voorlopig inleveren.'

'Ja,' valt Marco's vader zijn broer bij. 'Dat lijkt mij ook beter.'

Marco en Linda worden kwaad.

'Wat is dat voor belachelijks?'

'Zo belachelijk is het niet,' zegt Els. 'Iemand heeft die sms'-jes aan jullie verstuurd.'

'Daar weten we niks van,' zegt Linda. 'We kennen helemaal

niemand die drugs gebruikt. Dat hebben we toch al gezegd.'

'Ja,' zegt Marco, 'ik dacht dat jullie ons geloofden.'

'Des te gevaarlijker is dit,' zegt Marco's vader. 'Hoe je het ook bekijkt, een of andere dealer probeert via jullie mobiel contact te zoeken. Hij kent jullie nummer dus.'

'Ik heb mijn nummer niet gegeven,' zegt Marco. 'Aan niemand.'

'Ik ook niet,' zegt Linda.

'Dat geloven we,' zegt Els. 'Maar het is heel makkelijk om achter jullie nummers te komen. Die konden ze gisteravond zo met een smoes vragen aan de crew. Jullie zullen de eersten niet zijn die daardoor in de problemen komen. Ik wil dat jullie er helemaal buiten blijven. Die mobiels houden wij zolang. Mochten ze weer bellen, dan krijgen ze met ons te maken.'

'En hoelang wil je onze mobiel houden?' vraagt Marco.

'Dat horen jullie nog wel,' zegt Jaap.

'Het is echt knetter,' zegt Marco.

'Zo knetter zijn we niet.' Els kijkt naar Anouk en Valerie, die voor de tent staan. 'Vraag maar wat hun vader zou doen als er zoiets gebeurde.'

Valerie en Anouk doen net of ze van niks weten.

'Ze hebben een sms'je van een of andere drugsdealer gekregen,' legt Jaap uit. 'En er kwam ook nog een telefoontje achteraan.'

'En wat zei die figuur?' vraagt Anouk geschrokken.

'Die kreeg mij en hing meteen op,' zegt Jaap.

'Ze weten je nummer dus al,' zegt Anouk. 'Ik hoop niet dat ze ons nummer ook hebben achterhaald. Als papa dat hoort...'

'Zou die dan ook jullie mobiel afpikken?' vraagt Marco.

Anouk en Valerie knikken. 'Paps zou de hele dag de Sweetmemory-site bekijken of ze daar soms ook op stonden.'

'Daar zeg je wat,' zegt Jaap. 'Het zou heel goed kunnen dat ze via Sweetmemory contact zoeken.'

'Nou, eh, als jullie weer normaal kunnen doen, dan horen we het wel. Wij gaan weer zwemmen,' zegt Marco.

'Ja,' zegt Linda. 'Kom mee.' En ze hollen weg.

16

Nog geen kwartier later stormt Jaap de tent in.

'Het staat er, verdomme!' roept hij als hij terugkomt. 'Er worden drugs gebruikt. En weet je wie erachter zit? Ad. Een jongen heeft het gezien. En er is ook nog een andere figuur die het bevestigt.' Marco's vader gaat meteen met hem mee om de site te bekijken.

'Wat een schoft is die Ad! Aan zo'n man vertrouw je je kinderen nou toe.' Op hoge poten gaan ze zijn kantoor binnen.

'Er worden hier geen drugs gebruikt, hè?' roepen ze.

'Nee,' zegt Ad. 'Echt niet.'

'O nee?' schreeuwt Marco's vader. 'En wat zeg je hier dan van?' Hij trekt Ad mee naar de kantine en duwt hem op de kruk voor de computer. 'Zitten jij, dan zal ik je wat laten zien.' Marco's vader scrolt trillend omhoog naar de berichten.

'Nou, wat heb je hierop te zeggen?'

Ad wordt spierwit.

'Ja, daar zit je dan, man. Jij hebt ons heel wat uit te leggen.'

'Dit kan helemaal niet,' zegt Ad. 'Geloof me.'

'Is dat alles wat je te zeggen hebt, huichelaar? Het staat er toch? Wat wil je nou?'

'Niemand kan dit over mij hebben geschreven,' zegt Ad.

'Nee, de kabouters hebben het erop gezet, nou goed?' schreeuwt Jaap.

'Als het waar zou zijn, zou het verschrikkelijk zijn,' zegt Ad. 'Maar ik zweer dat het niet waar is. Ik wil de crew er ook wel bij halen. Dan kunnen ze het bevestigen.'

'Dus je hebt je eigen kinderen er ook nog bij betrokken,' zegt Jaap. 'Wat ben jij een misselijk mannetje. Ik had je hoog zitten, maar nu heb ik geen enkel respect meer voor je.'

Hij draait zich om en loopt weg.

'Zeg dit alsjeblieft niet tegen de andere gasten,' zegt Ad. 'Dat geeft zo veel onrust. Ik wil het eerst uitzoeken.'

'Uitzoeken?' roept de vader van Marco kwaad. 'Jij wilt het uitzoeken? Jij weet heel goed hoe het zit. Je wilt tijd winnen, maar je bent te laat, man. Je hebt ons allemaal belazerd met je Love Island. Het was toch verboden voor volwassenen? Nou snap ik waarom. Jij denkt misschien dat je wijzer wordt van dit soort praktijken, maar je richt je hele camping te gronde. En dan moeten wij onze kop houden? Zal ik jou eens wat zeggen? We stellen iedereen zo snel mogelijk op de hoogte, zodat ze vertrekken. Dat zullen we ze ook aanraden. In elk geval vertrekken wij vanavond nog en ik eis ons stageld terug!'

'Natuurlijk krijgen jullie je stageld terug,' probeert Ad hem te sussen. 'Maar geef ons in elk geval een dag de tijd voordat jullie het aan de grote klok hangen.'

Maar wat hij ook zegt, het maakt Marco's vader alleen nog kwader.

De meeste vaders en moeders zijn de ouders van Marco en Linda dankbaar dat ze hen hebben gewaarschuwd. Sommige ouders met kleine kinderen proberen het te sussen. 'Jullie hoeven toch niet meteen te vertrekken? Het zijn zulke aardige mensen. Misschien valt het allemaal mee.'

'Meevallen? Als je dochter een sms'je van een drugskoerier krijgt?' roept Linda's vader. 'Jullie hebben makkelijk praten. Jullie kinderen zitten nog veilig zandtaartjes te bakken onder je neus. Ik wil jullie wel eens horen als je kinderen groot zijn en ze krijgen zulke telefoontjes. Met die Ad heb ik geen medelijden. Die wil rijk worden over de rug van onze kinderen.'

Ze krijgen er ruzie over. Overal staan mensen tegen elkaar te schreeuwen.

Intussen houdt de crew crisisberaad. Ze zijn er allemaal van overtuigd dat het niet waar kan zijn.

'Als het echt zo was, dan hadden we het wel gemerkt,' zegt Isa.

'En Annabel zeker,' zegt Romeo. 'Hoe veel jongeren heb je niet de toekomst voorspeld? Heb jij iets aan ze gemerkt?'

'Nee,' zegt Annabel.

Ad komt in paniek de kantine in. 'Ik heb jullie nodig, jongens. Er zijn nu al mensen die zich willen aanmelden en door de ruzies weer omdraaien. En hoe het kan, weet ik niet, maar ik heb ook al een afmelding. Het gaat helemaal mis zo. Misschien moeten jullie de mensen ervan overtuigen dat het een misverstand is.'

Maar de chaos is niet meer tegen te houden. Heel wat mensen willen hun geld terug. Van het geld dat ze met het Love Island verdiend hebben, is niks meer over.

De moeder van Edgar en Brian is ook geschrokken. Zou het soms door de drugs komen dat Edgar zich dit jaar ineens zo goed voelt op deze camping, vraagt ze zich af.

'Ik vind het vreselijk,' zegt ze tegen Ad. 'We komen hier al jaren, maar nu vertrouw ik het niet meer. Ik heb gewoon geen rust meer. Ik vind het vreselijk voor jou, je zult er wel niks aan kunnen doen. Brian is er nu niet. Maar ik weet nog niet wat ik doe als hij overmorgen terug is. Ik zal er nog een nachtje over slapen.'

Waar moet iedereen zo gauw heen? De mensen die willen vertrekken, vragen de ouders van Linda en Marco om raad. 'Waar gaan jullie naartoe?'

'Naar die nieuwe camping,' zegt Marco's vader. 'Paradiso heet die. Daar hebben ze geen Love Island. Ik heb die twee dochters over hun vader horen vertellen. Het lijkt me een heel verantwoordelijke man. Het zit daar echt wel goed.'

Nog dezelfde avond laden de twee families hun tenten in de auto. Het ergste is dat ze niet de enigen zijn. De telefoon op Paradiso staat roodgloeiend. Ze krijgen de ene reservering na de andere.

Valerie en Anouk staan zich achter het kantoor van hun ouders te verkneukelen. Het is gelukt. Ze knijpen in elkaars hand.

'En dat komt allemaal door oma's supersonische mobiel,' zegt Valerie.

'En door jouw slimme zus,' grinnikt Anouk. 'Wij gaan naar Amerika! We worden filmster!' Ze hoort haar mobiel piepen. 'Mijn voicemail.' Ze luistert het bericht af. 'Je raadt nooit wie er heeft ingesproken.'

'Marco soms?'

'Nee, die heeft geen mobiel meer. Die hebben zijn pappie en mammie afgepakt. Onze baby staat op mijn voicemail. Hij wil mij gauw zien.'

'Dat kan toch,' zegt Valerie. 'Over een paar jaar kan hij je bekijken in de bioscoop.'

'Er is daar paniek,' zegt Anouk stralend. 'Hij vraagt of ik hem wil helpen.'

'Ach, wat lief. En dat wil jij toch wel? Zeg maar dat je zus ook heel behulpzaam is.'

'Reageren?' vraagt Anouk.

Als Valerie knikt, schrijft ze een sms'je. *Ik mag geen contact meer met je hebben. Mijn vader is bang dat wij ook aan de drugs gaan. Als ik het toch doe, krijg ik huisarrest. Dus je snapt dat ik daar geen zin in heb. Sterkte.*

Ze leest het bericht hardop voor.

'Wens ons schatje ook sterkte van je zus,' zegt Valerie.

Anouk zet het erbij. 'Nou babe,' zegt ze. 'Heb ik niet snel gereageerd?' En ze verzendt het sms'je.

17

Brian en Jules hebben uren in hun kano over de rivier gevaren als ze bij een strandje aankomen.

'Hier is de camping,' zegt Jules. 'Die ligt aan dit strandje. Gaaf toch? We kunnen even rondkijken voor een plekje.'

Frodo springt al uit de kano. 'Zoek de bal!' roept Jules. Hij gooit de bal in de rivier. Frodo rent het water in.

'Ik verzet geen voet meer,' zegt Brian als Frodo met de bal in zijn bek uit het water komt. 'Eerst maak ik iets te eten. Ik barst van de honger. We hebben de hele dag nog niks gehad, man. Kijk eens!' Hij haalt een primus en een blik soep uit zijn rugzak.

'Heerlijk!' zegt Jules. 'Ik probeer wel even een stokbroodje te scoren. Er is een kampwinkel.'

'Moet je geld?' vraagt Brian.

'We gaan niet alles precies uitrekenen, hoor. Kom Fro.' En Jules loopt de camping op.

Brian zet de primus op het zand. Daarna trekt hij het blik open. Aan zijn rugzak bengelt een pan. Hij probeert de knoop los te maken. Zijn vingers trillen helemaal, zo slap is hij. Ze hebben ook zo'n eind gevaren. Eindelijk heeft hij het voor elkaar en hij giet de soep in de pan. Zijn moeder had nog borden klaargezet, maar die heeft hij laten staan. Lepels heeft hij wel meegenomen. Terwijl de soep warm wordt, kijkt hij naar het strandje. Dat hij hier al die uren met Jules blijft. Onderweg hebben ze ook op een strandje aangelegd, maar dat was niet zo mooi als dit. Het ligt prachtig tussen de bergen.

'Top hè, zo met zijn tweetjes,' had Jules gezegd toen ze daar zaten. Waarom hij zelf nou weer zo belachelijk moest reageren weet hij ook niet. Hartstikke top! had hij moeten zeggen. Ik heb me in geen tijden zo goed gevoeld. Maar het enige wat eruit kwam, was: 'Hmmm... hmmmm.' Jules zal wel hebben gedacht. Het was vast een hint van hem, maar nu hij zo stom had gedaan durft hij natuurlijk niet meer. Waarom is hij toch altijd zo schijterig?

'Kijk eens!' Jules komt aanlopen met een stokbrood. 'Ik heb ons meteen maar aangemeld. We krijgen een perfecte plek. Niet tussen al die tenten, maar helemaal achteraf.'

Dat heeft hij expres gedaan, denkt Brian. Hij wil me vast de echte reden vertellen waarom hij het met Nona uitgemaakt heeft. Brian wordt heel opgewonden als hij eraan denkt. Wat een gesprek zal dat worden. Nee, daar kunnen ze geen anderen bij gebruiken.

'Ik ruik iets,' zegt Jules.

Help, de soep brandt bijna aan! Brian is zo in gedachten dat hij vergeet te roeren.

'Geef mij maar,' zegt Jules. 'Ik ben de kok. Ik heb je zo hard laten roeien, nu mag je lekker naar de forellen kijken. Misschien vangen we er nog wel een, dan bakken we 'm meteen.'

'Te gek,' zegt Brian. 'Heb jij dan een schepnet?'

'Welnee,' zegt Jules. 'Dat doe ik met mijn handen.'

Even later kondigt Jules aan dat de soep klaar is. Hij zet de pan tussen hen in. 'Nee, het is niet voor jou.' Jules duwt Frodo weg. 'Dat zou je wel willen, hè? Lekker uit de pan lebberen. Voor jou heb ik iets anders.' Hij haalt een plastic bakje met brokken uit zijn rugzak. Frodo valt meteen aan.

'Om de beurt een lepel van deze verrukkelijke soep?' vraagt Jules. 'Of ben je soms vies van me?'

'Natuurlijk niet.' Brian kijkt naar Jules. Wat ben je toch stoer, denkt hij. Wat zou het machtig zijn als ze verkering hadden. Dan zou hij elke vakantie naar Frankrijk gaan. Hij moet dan wel een krantenwijk nemen, dan kan hij zijn reis tenminste betalen. Want zoveel geld heeft zijn moeder nou ook weer niet.

'Lekker soepje,' zegt Jules. 'Toch?'

'Eh...' Brian kijkt verward op. 'Het is top.'

'En dat stokbrood is ook lekker,' voegt Jules eraan toe.

Als Brian knikt, begint Jules te lachen. 'Je hebt nog niks van dat brood geproefd, man.'

Nu moet Brian zelf ook lachen.

'Zo. Brian kijkt naar het tentje. 'Die staat.'

'Wat een gave plek, hè?' zegt Jules.

'Er staat alleen nog een caravan,' zegt Brian. 'Verder is het veldje helemaal leeg.'

'Niks caravan,' zegt Jules. 'Ze gaan vertrekken. Kijk maar, ze zijn aan het inpakken. Zo meteen hebben we dit hele veldje voor onszelf.'

Ze kijken naar de man van het stel, die de fietsen achter op de caravan bevestigt. Brian wijst naar een fles wijn op de grond.

'Misschien laten ze die wel staan,' zegt Jules.

'Ja, hoor,' zegt Brian als de twee in de auto stappen en wegrijden. 'Bedankt, die is mooi voor ons. Moet je zien.' Brian loopt er naartoe. 'Er zit voor ons alle twee nog een glaasje in.'

Jules pakt de fles aan en ruikt. 'Een prima wijntje. Jij mag het wel hebben. Ik hou het bij cola. Je weet hoe ik over drank denk.'

Ineens voelt Brian hoe moe hij is. 'Bewaar maar voor morgen, ik ben doodmoe. Als ik nu drink, val ik zo om.'

'Ik stel voor dat we gaan maffen,' zegt Jules.

'Niet gek bedacht,' zegt Brian gapend. En hij kruipt de tent in.

'Moet je ze nou zien zitten...' Anouk en Valerie leunen uit het raam. Ze kijken naar Marco en zijn vrienden die verveeld op de camping hangen.

'Leuke camping, hè?' fluistert Anouk. 'Echt iets voor die tutjes. Ik ben blij dat wij elke dag weg zijn.'

'Ja,' lacht Valerie. 'Lekker op de scooter rondcrossen.'

'Moet je ze horen.' Anouk wijst naar Linda.

'Er is hier helemaal niks te doen, weten jullie dat?' Linda geeft van woede een trap tegen het hek. 'Echt helemaal niks. Het is hier gewoon een bejaardencamping.'

'Nou nou, wat een spetterend sporttoernooi houden ze hier, zeg,' spot Marco. 'Ze hebben niet eens een sportveld.'

'Maar wel een prachtige tennisbaan,' zegt een andere jongen. 'Nou, daar hebben we wat aan. Als je nooit tennisles hebt gehad, mag je er niet op.'

'Net als die paarden,' zegt Linda. 'Je mag er alleen op rijden als je je ruiterbewijs hebt gehaald.'

Anouk stoot Valerie aan. 'We hebben ze wel lekker voorgelogen, hè?' Ze grinniken.

'Zullen we gaan zwemmen?' horen ze een meisje zeggen.

'Zeker in dat stomme bad tussen al die peuters. In het diepe gedeelte mag je niet eens duiken. Dan spetter je de papa's en mama's nat. Ik wou dat we hier nooit naartoe waren gegaan.'

'Het is anders wel jouw schuld,' zegt Marco. 'Jij had dat verhaal van die loverboy nooit aan je ouders moeten vertellen.'

'Nou krijg ik nog de schuld,' zegt Linda. 'Dat heeft Anouk verteld, hoor.'

'Daarom hoefde je het toch niet door te vertellen?' zegt Marco.

'Ja, geef mij maar de schuld, eikel.'

'Nee, dat vind ik ook onzin. Het is niet Linda's schuld dat we hier zitten.' De anderen komen voor haar op.

'Nee, míjn schuld, nou goed.' Marco loopt kwaad weg.

Anouk en Valerie knijpen in elkaars arm. Een paar minuten later horen ze geschreeuw uit Marco's tent komen.

Ze kijken elkaar stralend aan. 'Ruzie... Daar moeten we op af.' En ze sluipen naar buiten door de achterdeur, zodat de anderen hen niet kunnen zien. Ze verschuilen zich achter een caravan, vlak bij de tent van Marco.

'Waarom misdraag jij je hier zo?' schreeuwt Marco's vader. 'Je loopt alleen maar chagrijnig rond. Als dit jouw manier van vakantie vieren is, hoef ik nooit meer weg.'

'Het is jullie schuld,' roept Marco terug. 'Jullie zijn naar deze stomme camping gegaan. En waarom? Helemaal nergens om.'

'Noem je dat niks? Weet je wel wat het voor je moeder en mij betekent dat Ad jullie aan drugs wilde blootstellen? De camping waar we al jaren komen, nota bene!'

'Dat is helemaal niet zo,' zegt Marco. 'Zeker alleen maar door die twee sms'jes! Ik weet ook niet waar die vandaan kwamen, maar als het echt zo was, dan hadden ze nog wel een keer ge-sms't. Dat is toch zo? Linda had toch zogenaamd een afspraak, stond erin? En ze is niet gekomen. Waarom hoort ze daar niks over?'

'Dat moet je niet aan mij vragen.'

'O nee? Dat moet jij toch weten? Waarom hebben jullie anders onze mobiel in beslag genomen? Dat was al zo'n gare actie. Het was omdat er zogenaamd drugsdealers op Timboektoe waren. Nou zijn we helemaal niet meer op Timboektoe. We zitten hier op die ouwelullencamping, dan kun je onze mobiel toch wel teruggeven. Het is hier toch zo veilig?' Als zijn vader niet reageert, wordt hij nog kwader. 'Weet je wat, hou 'm maar lekker. Dan weet je precies of er nog iemand heeft ge-sms't. Of is dat al gebeurd, soms? Nou?'

'Nee, dat is niet gebeurd,' zegt zijn vader.

'Nou dan,' zegt Marco. 'Dat klopt toch niet?'

'Het is inderdaad vreemd dat we niets meer hebben gehoord,' zegt zijn vader.

'Laten we dan teruggaan,' zegt Marco. 'Niemand vindt er hier iets aan. Je weet nu toch dat het niet waar is? En wat op Sweetmemory stond, is ook allemaal onzin.'

'Ik zal er nog eens met mama over praten.'

Anouk en Valerie kijken elkaar geschrokken aan. Ze lopen weg en glippen door de achterdeur het huis in.

'Ze gaan twijfelen.' Anouk doet de deur van haar kamer dicht zodat hun ouders hen niet kunnen horen. 'We zijn ook stom geweest. We hadden er nog een sms'je achteraan moeten sturen, of een telefoontje.'

'Ja, precies,' zegt Valerie. 'En dat gaan we nu doen. We moeten ze zo snel mogelijk sms'en.'

'Hoe? Ik heb die mobiel daar neergegooid in de bosjes, weet je nog?'

'Wat ben je toch een stommerd. Die had je moeten bewaren.'

'En dat zeg jij? Jij had zelf ook zo'n stom ding. Jij hebt hem meteen weggesmeten. Ik had hem tenminste nog bewaard, anders hadden we helemaal niks kunnen doen.'

'Weet je nog waar hij ligt?' vraagt Valerie.

Anouk knikt. 'In de bosjes op weg naar de rivier. We moeten 'm halen.'

'Nu? Het is al hartstikke laat. Zo meteen wordt het donker. Paps krijgt een hartaanval als we ineens weg zijn.'

'Morgen dan. En dan sturen we meteen twee sms'jes.'

'Morgen kunnen we niet. Dan gaan we kleren kopen met mama in de stad. Ik wil een nieuwe jurk.'

'Als iedereen weer teruggaat naar Timboektoe krijg je nooit meer een nieuwe jurk,' zegt Anouk.

Valerie denkt na. 'Oké, dan gaan we erna.'

18

Brian en Jules waren zo moe dat ze pas laat in de ochtend wakker worden.

'Wat dacht je ervan om de dag te beginnen met een duik in het water,' stelt Brian voor.

'Weet je wat mij gaaf lijkt?' zegt Jules. 'Lekker forelletjes roosteren op dat strandje waar we gisteren langs kwamen.'

'Top,' zegt Brian. 'Maar dan zwem ik erheen, goed?'

'Prima,' zegt Jules. 'Dan sprokkel ik alles voor de lunch bij elkaar.'

Brian kruipt uit de tent. Het is prachtig weer. 'Kom op, Frodo, wij gaan zwemmen.' Met Frodo achter zich aan rent hij naar de rivier. Het is best een eind. Een paar kilometer moeten ze zwemmen, maar Brian vindt het heerlijk. Hij is al een tijdje op het strandje als Jules aan komt varen.

Brian moet lachen als hij ziet wat er allemaal uit de kano komt. Stokbrood en Franse kaas. Cola, maar ook takken voor een vuurtje.

'Wil jij het aansteken? Dan ga ik een paar heerlijke forelletjes vangen.' Jules gooit lucifers naar Brian.

'Jij bent echt een supervisser, hè?' zegt Brian als Jules even later met twee forellen aan komt lopen.

Jules legt de forellen op het vuur. 'Een driesterrenrestaurant, mister.'

'Zo,' zegt Brian als het tijd is om terug te gaan. 'Nou ga ik in de kano en dan mag jij zwemmen.'

'Mooi niet.' Jules springt meteen in de boot. 'Wie was hier nou zo sportief? Je mag aan mijn kano hangen.' En hij duwt zijn boot in het water.

'Dat lijkt me gaaf!'

Jules peddelt weg en Brian houdt zich vast aan de kano. Hij glijdt door het water.

'Hoe is het, zeemeermin?' roept Jules. Doordat hij zich omdraait, raakt de kano uit balans. Een paar seconden later ligt Jules ook in het water. Gierend van de lach komt hij boven.

'Nou mag ik hangen,' zegt Jules als ze de kano weer hebben omgedraaid.

Brian vindt het prima, maar hij heeft lang niet zoveel kracht als Jules. Ze komen amper vooruit, maar dat kan ze niks schelen. Telkens slaat de kano om en dan hebben ze zo'n lol. Aan het eind van de dag komen ze weer op de camping aan.

'Gaaf is het, hè,' zegt Jules als ze voor hun tent zitten. 'We bellen naar Timboektoe dat we een dag later terugkomen. Ik heb een machtige dag gehad en moet je ons nou weer zien zitten. Ik ben zo blij dat ik mijn verkering heb uitgemaakt.'

Nou komt het, denkt Brian. Hij kijkt naar de fles wijn die de buren gisteren hebben achtergelaten. Brian drinkt eigenlijk nooit, maar het is nu zo spannend dat hij wel zin heeft in een glaasje. Op het feest nam hij ook een biertje toen hij Jules moest helpen. Hij werd er veel vrijer van. 'Nu lust ik wel een glaasje.' Hij schenkt wijn in zijn beker en neemt gauw een paar slokken. Omdat hij nooit drinkt, werkt het wel meteen. Het is net alsof alles veel minder eng is.

'Ik vind Nona wel top,' zegt Jules. 'Maar meer als goeie vriendin.'

'Ik ook,' zegt Brian.

Jules kijkt naar hem. 'Ik vind het sterk van je dat jij nooit aan een meid bent begonnen. Ik moest natuurlijk wel weer verkering nemen met Nona. Nou, je hebt gezien wat ervan komt. Niks voor mij. Weet je dat ik eigenlijk veel meer ben zoals jij?'

Brian schenkt nog een beetje wijn voor zichzelf in. 'We zitten hier helemaal te gek,' zegt hij.

'Zal ik jou eens wat vertellen?' zegt Jules. 'Wij hebben helemaal niemand nodig. Geen meiden, bedoel ik. Ik weet nou echt dat het niks voor mij is. Moet je zien hoe leuk wij het hebben.' Hij geeft Brian een duw. 'Vet toch?'

Brian geeft Jules een zet terug. Ze beginnen te stoeien.

'Kijken wie de sterkste is...' lacht Jules. 'Of ben je bang voor me?' Hij grijpt Brian vast. 'Nee, je bent niet bang voor me, hè? Zeg het maar!'

Wat doet Jules stoer. Brian rolt om van de lach. Hij kijkt naar Jules. Zo meteen gaat Jules zeggen dat hij verliefd op hem is, dat weet hij zeker.

'Ik ben net als jij,' zegt Jules weer. 'Wist je dat?'

Brian kijkt Jules aan. 'Eerst niet natuurlijk,' zegt hij. 'Jij had verkering met Nona.'

'Ja, maar dat is nu uit. Daarom heb ik het juist uitgemaakt, omdat ik net als jij ben. En toen wist je het zeker wel?'

'Ik hoopte het,' zegt Brian.

'Weet je wat ik van jou zo gaaf vind,' zegt Jules. 'Dat jij niet zomaar met een meid gaat, alleen omdat het zo hoort.'

'Dat kan ik nog niet eens,' zegt Brian. 'Daar zijn we anders in, want jij kunt dat wel. Jij hebt met Nona gezoend.'

'Ja,' zegt Jules. 'Natuurlijk.'

'Nou, daar heb je het al. Daar moet ik niet aan denken, tenminste niet met Nona.'

'Wat zeg jij?' Jules grijpt Brian weer vast en gooit hem achterover. 'Niet met Nona, maar met wie dan wel? Zeg het dan?' Hij drukt Brian tegen de grond.

Brian kijkt naar Jules, die vlak boven hem hangt. Hij ziet zijn mond...

'Nou?' lacht Jules. 'Met wie dan wel? Dat durf je niet te zeggen, hè? Met wie wil jij wel zoenen?'

'Met jou,' zegt Brian. 'Met jou zou ik wel willen zoenen.'

'Wat?' Jules kijkt naar Brian en dan ziet hij dat het geen grapje is. Hij laat hem meteen los en komt overeind. 'Gatverdamme!' roept hij uit. 'Jij bent homo. Een homo die verliefd op mij is. Had je dat niet eerder kunnen zeggen? Lig ik hier vannacht een beetje naast jou in die tent. Hier word ik even niet goed van. Getver de getver...' Hij spuugt op de grond en dan loopt hij weg.

Jules neemt het eerste pad dat hij tegenkomt. Het kan hem niet schelen waar het heen gaat. Hij moet weg. Het raast door zijn hoofd. Brian die verliefd op hem is. Wat moet hij daar in godsnaam mee. 'Fuck fuck fuck!' zegt hij hardop. Dat wil hij helemaal niet. Hij wil gewoon vrienden zijn. Dat Brian homo is, daar zit hij helemaal niet mee. Kylian valt ook op jongens en die mag hij ook heel graag. Maar dat Brian verliefd op hem is, dat vindt hij verschrikkelijk. Hij is zo in de war dat hij niet eens merkt dat Frodo naast hem loopt. De gedachten razen maar door zijn hoofd. Hoe moet hij hier nou mee omgaan? En daar komt Brian nu mee aan, nu ze samen weg zijn. Het liefst zou hij zo terugpeddelen naar Timboektoe. Maar dat redt hij niet meer. Het is veel te ver, dat haalt hij nooit voor het donker. En wat dan? Dan zijn ze op Timboektoe. Ze zullen elkaar nog elke dag zien. Hoe moet dit? Hij voelt zich echt niet meer prettig bij Brian. Hij ziet Brians gezicht voor zich. *Met jou wil ik wel zoenen.* Getver, hij wordt weer kwaad. Hij heeft alles verpest met dat stomme verliefd zijn. Alles, hun hele vriendschap is naar de knoppen!

Boven op de berg gaat Jules zitten. Frodo komt naast hem staan. Hij geeft Jules een lik. 'Ik weet het niet, Fro,' zegt Jules. 'Ik weet echt niet wat ik moet doen.' Kon hij het maar aan iemand vertellen. Jules is kwaad, maar niet alleen kwaad. Hij kan er wel om janken. Hij denkt aan zijn moeder. Was ze er nog maar, dan kon ze hem raad geven. En dan mist hij haar ineens en hij begint te huilen. 'Wat moet ik doen, mam?' zegt hij zachtjes. 'Ik weet het echt niet, je moet me helpen...'

In zijn hoofd hoort hij zijn moeders stem. 'Rustig maar, jochie, je bent gewoon geschrokken. Brian is verliefd op je, dat had je nooit gedacht. Maar heb je wel bedacht hoe het voor Brian is? Hij is homo, hij wijkt af, dat is heus niet makkelijk.' En dan schrikt Jules. Brian heeft hem zijn geheim verteld. Niemand weet dat hij homo is. Hoe lang weet hij het zelf al? Misschien al heel lang en al die tijd loopt hij met zijn geheim rond. En iedereen maar zeggen: 'Ga nou eens met een meid zoenen, Brian.' Wat moet dat vreselijk voor hem zijn. En nou is zijn beste vriend ook nog kwaad op hem geworden. Dat komt omdat hij ervan schrok. Gatverdamme, riep hij. Hoe moet Brian zich nu wel niet voelen? Hij moet hem zeggen dat het hem spijt. En dat het niet kan tussen hen omdat hij niet op jongens valt.

Jules loopt de berg af. Hij fluit Frodo terug, die een eind voor hem uit rent. De hond kijkt hem verbaasd aan. 'We nemen een pad dat binnendoor gaat, dan zijn we eerder bij de camping.'

Jules loopt het veldje op. Brian ziet hij niet. Die ligt vast in de tent.

'Hé Brian,' zegt hij en hij kijkt in de tent. Maar Brian is er niet. Hij is kwaad, denkt Jules. En hij gaat voor hun tent zitten. Brian zal zo wel terugkomen.

19

Brian vaart over de rivier. Het water slaat wild tegen zijn kano, maar hij merkt het niet eens. De woorden van Jules gonzen in zijn hoofd. *Getver de getver...* In zijn gedachten ziet hij hem weer spugen van walging. Zijn beste vriend, die hem uitkotst. Hij dacht dat Jules ook verliefd op hem was. Hoe kon hij zo stom zijn? Alles heeft hij verpest. Zijn vriendschap met Jules, maar ook met de anderen. Wat zullen ze wel niet denken? Is hij vanaf nu soms die vieze homo van Timboektoe voor wie je moet uitkijken, omdat hij met je wil zoenen? Als dat zo is, kan hij beter niet teruggaan. Dat kan hij zijn moeder niet aandoen en Edgar ook niet. Ze zullen zich altijd voor hem schamen. Daarom peddelt hij steeds verder weg van Timboektoe. Hij stopt zelfs niet bij het gedeelte van de rivier waar een groot waarschuwingsbord staat omdat de stroming daar steeds wilder wordt. Het water tilt zijn kano op. Brian weet dat het gevaarlijk is wat hij doet. Hoe vaak hebben ze het niet over dit gedeelte gehad? Maar wat maakt het hem uit? Dan wordt hij maar met zijn boot tegen de rotsen gekwakt. Dan is hij er tenminste vanaf. Misschien doet het pijn, maar nu heeft hij ook pijn. En deze pijn zal nooit meer ophouden. Altijd zal hij zich deze zomer als een nachtmerrie blijven herinneren. Eerst de muurschildering, waar hij ook van dacht dat die echt was. Hoe kon hij zich zo vergissen? Tot twee keer toe heeft hij gigantisch geblunderd. Hij is niet alleen een homo, hij is ook nog gestoord. Wie heeft er nou nog iets aan als hij blijft leven? Hij kijkt naar een rots die boven het water uitsteekt. Zijn kano wordt er naartoe getrokken. Brian probeert het tegen te houden, maar de stroming is veel sterker dan hij. Het lukt niet, hij voelt dat het misgaat. Angstig kijkt hij naar de rots, die steeds dichter bij komt. Ik ga het verliezen, denkt hij en hij duikt uit zijn boot. Naast zich hoort hij een klap. De kano splijt op de rots. Het water sleurt hem mee. Nu duurt het niet lang meer of ik ga onder, denkt hij. Nog even en dan besta ik niet meer. Hij gaat ook af en toe kopje-onder, maar telkens komt hij toch weer boven. Ik ben er nog, denkt hij, ik ben er nog steeds. Een eindje verderop steekt een punt van een rots boven het water uit. Misschien kan hij zich daaraan vastgrijpen. Hij steekt zijn armen uit, maar de stroming is te sterk. Toch zit hij ineens vast. Hoe kan dat? En dan voelt hij dat zijn T-shirt aan de punt van de rots is blijven steken. Het water trekt hem naar voren, maar zijn T-shirt houdt hem vast. Hoe lang zal zijn shirt dit houden? Hij moet snel zijn en op de rots klimmen. Hij zet zijn voet op de rots. Ik ben gered, denkt hij, mijn shirt heeft me gered. Maar op hetzelfde moment hoort hij zijn shirt scheuren en voordat hij iets kan doen, wordt hij alweer verder meegesleurd.

Frodo ligt al te slapen, maar Jules loopt maar voor de tent heen en weer. Het wordt al donker en Brian is er nog steeds niet. Opeens wordt hij bang. Hij zal toch niet echt weg zijn gegaan? Jules rent naar het strandje. ‘Shit!’ zegt hij hardop. Alleen zijn eigen kano ligt er nog. Brian is vast terug naar Timboektoe gevaren. Zal hij zelf ook gaan? Wat moet hij hier nog in zijn eentje? Maar hij weet dat het een belachelijke gedachte is. Wie gaat er nou in het donker over de rivier varen? Hij zal hier moeten blijven tot morgenochtend. Jules loopt terug en gaat de tent in. Voor de zoveelste keer die avond overdenkt hij wat er is gebeurd. Hoe laat is Brian eigenlijk weggegaan? Zal hij wel voor donker op Timboektoe aankomen? Jules rekent het snel uit, maar het kan niet. Dat kan Brian nooit halen. Waar is hij dan nu? Je kunt het niet weten, zegt hij tegen zichzelf. Morgen weet je het pas. Hij neemt zich voor te vertrekken zodra het licht wordt. Jules kruipt in zijn slaapzak. Hij heeft tenminste een slaapzak. Brian heeft helemaal niks, want zijn rode slaapzak ligt er nog. Niet aan denken, zegt Jules tegen zichzelf. Af en toe vallen zijn ogen dicht en dan schrikt hij weer wakker. Hij kijkt op zijn horloge. Het is drie uur. Hij moet nog een paar uur geduld hebben.

Het wordt nog maar net een beetje licht als Jules de tent aan zijn rugzak bindt. Zijn kano zal wel lekker zwaar worden. Hij heeft de kampeerspullen en de slaapzak van Brian ook bij zich. Als dat maar allemaal lukt. Hij kijkt nog een keer achterom.

Frodo zit al in de boot. 'Naar deze plek gaan we dus nooit meer,' zegt Jules. Hij duwt zijn kano het water in. Een paar seconden later vaart hij weg. Jules voelt meteen dat het een hele klus wordt om tegen de stroming op te varen. Over de heenweg hebben ze al uren gedaan, dan mag hij nu wel op het dubbele rekenen. In zijn eentje peddelt hij over de rivier. Hij ziet wel op tegen de lange tocht. Eergisteren hadden ze zo'n plezier dat ze niet eens merkten dat het ver was. Nu zou hij liever willen dat er een motor in zijn boot zat, dan was hij er tenminste lekker snel en dan wist hij ook of Brian veilig is aangekomen. Want dat is het enige dat telt. Hij heeft Brian al een aantal keren proberen te bellen, maar die neemt niet op.

Vlak voor hij ging slapen, overwoog hij nog even Kars te bellen om te vragen of die wilde kijken of Brian veilig was thuisgekomen. Maar toen bedacht hij ineens dat Brian misschien wel expres zou wachten tot iedereen sliep voordat hij naar zijn tent zou sluipen. Dan hoefde niemand van de ruzie te weten. Daarom had Jules maar niet gebeld.

Hij zucht. Hij komt echt twee keer zo langzaam vooruit als op de heenweg, zo sterk is de stroming. Terwijl hij kracht zet, kijkt hij naar elk strandje. Het kan best dat Brian ergens ligt te maffen. Dat zou helemaal top zijn. Dan praten ze het uit en varen ze daarna samen terug. Hij zal Brian wel vertellen dat van hem niemand iets te horen krijgt. Hij vertelt het echt niet door dat Brian homo is.

Hé, dat is mooi! In de verte ziet Jules iets roods op de oever van de rivier liggen. Dat is hem! denkt hij. Dat is vast en zeker de kano van Brian. Op slag voelt hij zich een stuk beter. Hij weet zeker dat het meteen weer goed is als ze elkaar zien. Hij is er nu ook veel rustiger onder. Met Nona blijft hij toch ook vrienden? Dat vindt hij juist zo fijn. Terwijl zij nog steeds verliefd op hem is. Waarom zou het met Brian dan niet kunnen? In het begin is het wel even raar natuurlijk. Een jongen die verliefd op je is, is toch wel even wat anders dan een meid. Maar dat is alleen omdat hij het niet gewend is. Mijn beste vriend is homo. Hij zegt het steeds tegen zichzelf, daardoor wordt het minder raar. Hij komt dichter bij het rode voorwerp. Ja, hoor, het is een boot. Jules peddelt krachtig door, maar als hij er eindelijk vlakbij is, blijkt het een roeiboot te zijn. Teleurgesteld vaart hij verder. Hij komt langs de plek waar ze op de heenweg hebben gerust. Hoezo gerust? Brian en hij kunnen nooit stilzitten. Ze moesten er zelf om lachen. Ze waren nog niet uit hun boot of ze deden een wedstrijdje wie het eerst boven aan het pad was. Wat hadden ze toen nog veel zin in hun tocht.

Jules kan nog steeds niet geloven dat het zo is misgegaan. Af en toe denkt hij dat het niet waar is, dat hij het heeft gedroomd en dat het helemaal niet gebeurd is.

Brian doet zijn ogen open. Waar is hij? Wat is er gebeurd? Hij voelt zich misselijk. En de pijn in zijn hoofd is bijna niet uit te houden. Alsof zijn hersens zijn geknapt. Zijn gezicht doet ook zeer. Hij gaat voorzichtig met zijn hand langs zijn wang. Er zit bloed aan. Langzaam komt hij overeind, maar dan valt hij weer terug. Zijn hoofd! Hij is draaierig. Vaag herinnert hij zich een harde schreeuw. Dat is het laatste wat hij weet. Een schreeuw en daarna werd het stil.

Brian probeert zich te herinneren wat er daarvoor gebeurde. Met flarden komt het terug. Overal was water en toen ineens een klap. De pijn, geschreeuw... en dan weet hij het weer: die schreeuw kwam van hem. Daarna zonk hij weg in een diepe slaap. Hij weet niet hoelang hij hier al ligt, maar dat maakt niet uit. Hij is niet verdronken. De rots waar hij tegenaan werd gesmeten, heeft hem verwond, maar ook gered. Hij heeft geluk gehad. Hij is er tenminste nog. Er komt steeds meer terug. In het donker werd hij door de rivier meegesleurd. Het leek alsof hij geen kans meer had. Wat had hij een spijt van zijn roekeloze daad. Toen het water hem meevoerde, bestond Jules niet meer. En het was ook niet meer belangrijk dat hij op jongens valt. Ik wil niet dood, dat was het enige wat hij dacht. Telkens ging hij kopje-onder. Een paar uur ervoor had hij nog gedacht dat hij er beter niet meer kon zijn. Maar nu vocht hij voor zijn leven. Hij was uitgeput toen hij in het maanlicht de rots die vanuit de oever de rivier in stak op zich af zag komen. Het ging allemaal heel snel. Nu ga ik dood, dacht hij. En toen kwam de klap.

Weer probeert hij overeind te komen. Zijn hoofd! Het is beter dat hij weer gaat liggen. Hij zal moeten wachten tot ze hem komen halen. Hij voelt in zijn zak, maar zijn mobiel zit er niet meer in. Die ligt ergens op de bodem van de rivier. Hij raakt in paniek. Hoe moeten ze weten dat hij hier ligt? Stel je voor dat ze hem niet vinden, dan gaat hij toch nog dood. Hij kan niks beginnen. Zijn benen kunnen wel bewegen, maar zijn hoofd wil niet. Hij probeert het nog een paar keer, maar dan voelt hij zich ineens heel moe. En zijn ogen vallen dicht.

Het is halverwege de ochtend als Jules bij de camping aankomt. Doodmoe stapt hij uit de kano. Het lijkt wel of hij geen gevoel meer in zijn armen heeft, zo hard heeft hij gewerkt. Hij heeft het hele eind gevaren zonder te rusten. Daar had hij geen geduld voor. Hij wilde zo gauw mogelijk weten hoe het met Brian was. Maar nu is hij er. Over een paar minuten weet hij of alles goed is gegaan. In de verte ziet hij Kars en Edgar lopen.

'Hier blijven!' zegt Jules als Frodo naar hen toe wil rennen. Hij moet eerst weten of Brian er is. Hij ziet hem niet. Maar misschien is hij vannacht pas aangekomen en ligt hij nog te slapen. Jules loopt over de camping. Het valt hem op dat er veel lege plekken zijn. Het voelt raar, alsof er iets is. Doe niet zo maf, zegt hij tegen zichzelf. Wat kan er nou zijn? Je bent amper twee dagen weg geweest. Als hij vlak bij het veldje van Brian is, blijft hij staan. Hij gluurt door de struiken. Brians moeder zit voor haar tent. Shit, zijn mobiel gaat. Brians moeder hoort het en kijkt zijn kant op. Ze ziet me, denkt Jules. Terwijl hij zijn mobiel uitdrukt, zwaait hij naar haar.

Brians moeder komt inderdaad zijn kant op. Misschien heeft ze van de ruzie gehoord en is ze kwaad.

'Hoi,' zegt Jules.

'Brian heeft het goed bekeken, die laat jou met alles sjouwen.' Ze aait Frodo. 'Hoe hebben jullie het gehad?'

Brian is dus niet thuisgekomen. Jules schrikt. Hoe kan het nou dat zijn vriend er nog steeds niet is? Hij is gisteravond al vertrokken.

'Nou, hoe was het?' vraagt Brians moeder.

'Eh... leuk,' zegt Jules. 'Eerst was het leuk, maar eh... toen kregen we ineens ruzie.'

'Jullie ruzie? Jullie zijn al jaren bevriend. Hoe kan dat nou opeens? En waar is Brian nu?'

'Dat weet ik niet.'

'Nou, zeg, zijn jullie zo kwaad op elkaar dat jullie niet eens samen terug zijn gekomen? Waar is hij dan?'

'Ik weet niet. Nog onderweg, denk ik.'

'Nou ja! Je gaat me toch niet vertellen dat jullie ook apart vertrokken zijn?'

'Dat is wel zo.'

'Wat is er dan wel niet gebeurd? Voordat jullie elkaar in de steek laten, moet er wel heel wat aan de hand zijn geweest.'

'We hadden ruzie om iets stoms.'

'Wat zonde van jullie tocht. Jullie hadden er zo'n zin in. Jullie moeten het maar weer gauw goedmaken.'

Jules knikt. Hij geeft de tent en de slaapzak aan Brians moeder en loopt weg.

Een eindje verder bij de kantine staan Romeo en Stef. 'Hebben jullie Brian gezien?' vraagt hij.

'Nee,' zegt Stef. 'Maar eerlijk gezegd heb ik er niet op gelet. Weet je wel wat hier is gebeurd toen jullie weg waren?'

'Nee,' zegt Jules.

Romeo vertelt over de sms'jes en de paniek.

Jules' mond valt open. Waar hebben ze het over? 'Drugs op Timboektoe?'

'Het schijnt dat er in het dorp over wordt gepraat,' zegt Stef.

'Dat kan helemaal niet,' zegt Jules. 'Ik woon hier toch? Dan zou ik het echt wel weten. Ik heb er nog nooit over gehoord.'

'Of het nou waar is of niet,' zegt Romeo, de hele camping loopt leeg. Ga maar eens op het Love Island kijken, daar zie je helemaal niemand.'

Wat is er allemaal aan de hand? Jules raakt in de war. Brian die weg is en nou ook nog de camping waar het niet goed mee gaat.

Romeo wijst naar een afgeladen auto die voor het kantoortje staat. 'Kijk, die stappen ook weer op.'

'Maar dat kunnen we toch niet zomaar laten gebeuren?' zegt Jules.

'Nee,' zegt Romeo. 'Daar komen we nu voor bij elkaar. Je bent net op tijd terug. We willen bewijzen dat het niet waar is. Daar hebben we jouw hulp ook bij nodig, want jij komt hier vandaan.' Hij duwt Jules de kantine in.

Brian richt zich op. Hij zit, dat is tenminste gelukt. Nu moet hij kijken of hij ook kan staan. Hij wacht een paar minuten en dan komt hij overeind. Hij staat, maar je moet niet vragen hoe. Zijn hoofd bonkt en hij ziet alles dubbel. Als het lukt om te lopen kan hij het beste over de rots naar de oever klimmen en dan het pad langs de rivier nemen. Dan weet hij tenminste dat hij er komt. Hij doet een paar stappen. Zijn hoofd tolt. Hij grijpt zich vast aan de rots. Dat wordt nog een hele tocht naar Timboektoe. Normaal zou het al twee dagen duren, maar in dit tempo mag hij er nog wel twee bij optellen. Misschien is het niet nodig. Nu hij vannacht niet is thuisgekomen, zijn ze hem vast aan het zoeken. Waarschijnlijk hoeft hij niet zo lang te lopen voor ze hem gevonden hebben. Hij doet weer een paar stappen. Het gaat, maar wel heel traag. Hij moet telkens rusten. Wat ziet alles er raar uit. Zo duizelig is hij nog nooit geweest. Daar gaat hij! Brian schrikt, zo meteen ligt hij toch weer in het water. Hij grijpt zich net op tijd vast.

Brian strompelt over het pad. Na een poosje wordt hij moe. Doorzetten, denkt hij. Maar het gaat gewoon niet meer. Hij moet gaan liggen. Wat doet zijn hoofd pijn! Nu hij ligt, voelt hij zich nog ellendiger. Het lijkt net of hij in een zweefmolen zit. Hij heeft het gevoel dat hij moet spugen. Het lopen heeft hem geen goed gedaan.

Als zijn ergste vermoeidheid weg is, komt hij weer overeind. Hij kijkt achter zich. Echt opgeschoten is hij niet. Waarom komen ze hem ook niet halen? Hij begrijpt er niks van. Ze hadden er allang moeten zijn. Ineens wordt hij bang. Misschien willen zijn vrienden helemaal niet meer dat hij nog terugkomt. Jules heeft hun vast verteld waarom ze ruzie hebben kregen. Daarom zijn ze er niet. Ze zijn op hem afgeknapt. Maar zijn moeder en Edgar, waarom komen die dan niet? Hij moet alweer gaan zitten. Hij redt het nooit het hele eind te lopen. Maar wat moet hij dan? Hij weet het niet meer. Hij slaat zijn handen voor zijn gezicht en begint te huilen.

'Ik heb Jules net verteld wat er aan de hand is,' zegt Romeo als ze met zijn allen om de lange tafel zitten.

'Wat zeg jij er nou van?' vraagt Isa.

'Het lijkt wel een nachtmerrie,' zegt Jules. 'Die leegloop! Dat kan toch niet.'

'Jij valt er nieuw in,' zegt Kars. 'Jij bent nog fris. Bedenk eens wat we er tegen kunnen doen.'

Jules wil er wel over nadenken, maar het gaat niet. Waar is Brian? De vraag spookt maar in zijn hoofd rond.

'Ik wil heus wel wat bedenken,' zegt Jules. 'Timboektoe is ook mijn camping. Ik heb er alles voor over. Maar eerst moeten jullie mij ergens bij helpen. Het gaat niet over Timboektoe, maar het zit steeds in mijn kop. Brian is gisteravond kwaad weggelopen. We kregen ruzie over iets. Ik dacht dat hij wel terug zou komen, maar toen het donker werd, was hij er nog niet. Ik keek op het strandje en toen was zijn boot weg. Die is naar huis, dacht ik. Maar het is nu al zowat veertien uur later en hij is er nog steeds niet. En zijn mobiel neemt hij niet op.'

'Jij bent lekker bezig,' zegt Romeo. 'Dat is nou al de tweede keer dat je ruziemaakt. En wij maar hollen voor je. Weet je nog met Nona? Ze was zogenaamd spoorloos. Ja hoor, wij maar zoeken en zij zat lekker met haar reet op een paard.'

'Sinds ik die hele ochtend naar een vriendin heb gezocht die lekker op vakantie was, maak ik me niet meer zo snel ongerust,' zegt Isa.

'Ik zie ons nog door dat dorp lopen,' zegt Annabel. 'Op zoek naar Nona, die niet eens de moeite had genomen om ons gedag te zeggen. Dank je wel.'

'Ja,' zegt Kars. 'En Justin en ik maar peddelen en roepen langs de rivier. Nona! Nou niks, hoor. En dan moeten we nu zeker weer achter Brian aan.'

'Jij moet niet zo'n paniek maken,' zegt Stef. 'Blijf eens rustig, man.'

'Het is wel mijn broer,' zegt Edgar. 'Ik wil weten waar hij is.'

'Dan probeer jij hem toch ook te bellen?' zegt Kars. 'Met jou heeft hij geen ruzie. Wedden dat je hem gewoon aan de telefoon krijgt?'

'Ja,' zegt Romeo. 'En wat krijg je dan te horen? Ik heb onderweg een ontdekking gedaan.'

'Nee, hè,' zucht Stef. 'Niet weer zo'n nepmuurschildering.'

Edgar draait Brians nummer.

'Ik krijg geen gehoor,' zegt hij. 'Ik hoor helemaal niks.'

'Dan staat hij dus uit,' zegt Romeo. 'Als hij in nood was, zette hij dat ding wel aan.'

'Je hebt gelijk,' zegt Edgar. 'Zo meteen staat hij weer gewoon voor onze neus.'

'We kunnen ons beter met Timboektoe bezighouden, jongens,' zegt Kars. 'Er zijn vandaag weer twee families vertrokken. We moeten actie ondernemen, anders kunnen we het wel schudden.'

'Wat zegt je vader ervan?'

'Het lijkt wel of hij van de wereld is,' zegt Kars. 'Mijn pa zegt helemaal niks.'

'Hij heeft een shock,' zegt Isa. 'Vind je het gek? Hij moet al die mensen uitschrijven. Hoe veel geld heeft hij al niet teruggegeven?'

'Het gaat niet alleen om het geld,' zegt Kars. 'Timboektoe is zijn droom. Hij was er zo trots op. Het Love Island, alles; en dan word je ervan beschuldigd dat er drugs gebruikt worden. Dat vindt hij nog het ergst.'

'Ik zou zo graag willen weten wie die gasten zijn van die sms'jes,' zegt Justin.

'Dat zei Kylian ook toen hij het hoorde.'

'Je hebt hem gebeld?' vraagt Isa. 'Wat zei hij?'

'Hij was woedend,' zegt Kars. 'Wat was die kwaad, zeg!'

'Je wordt er toch ook gek van,' zegt Edgar. 'Als ik zeker zou weten dat het waar was, kon ik het nog wel hebben.'

'Dat heb ik nou ook,' zegt Romeo. 'Het is een smerige leugen, dat weten wij allemaal. En daar word je giftig van.'

'Het is zeker een leugen,' zegt Isa. 'Maar hoe moeten we dat nou bewijzen?'

Brian zit op de oever van de rivier met zijn rug tegen een rots geleund. Moet hij doorlopen en naar de camping gaan? Hij weet het niet meer. Hij weet helemaal niet meer wat hij moet doen. Een maand geleden zag alles er nog zo positief uit. Hij zou archeoloog worden. Hij zat er heus niet zo erg mee dat hij nooit verliefd op een meisje was en dat hij nog nooit had gezoend. Eigenlijk had hij niks nodig, als hij maar dingen kon onderzoeken. Altijd als hij aan later dacht, werd hij blij. Hij zag een prachtige toekomst voor zich als archeoloog, net als zijn opa. Hoe vaak hadden ze het daar niet samen over gehad? En nu, in deze vakantie, is alles veranderd. Zijn leven is één grote nachtmerrie geworden. Hoe bestaat het? In een paar weken is hij alles verloren. Zijn ambitie, zijn vrienden en zichzelf. Het heeft geen zin om naar Timboektoe te gaan. Wat moeten ze nog met hem? Zijn tong voelt zwaar en zijn mond is droog. Ik heb dorst, denkt hij. Hij schept met zijn handen wat water uit de rivier. Zijn hoofd bonkt nog erger als hij zich naar voren buigt, maar toch moet hij drinken. Zijn tong voelt meteen beter, al na een paar slokken. Maar het lijkt alsof zijn maag het niet kan verdragen. De misselijkheid wordt erger. Zijn maag draait om en dan moet hij spugen. Ik ben ziek, denkt hij. Ik moet slapen. Hij legt zijn hoofd tegen de rots, maar de steen is veel te hard. Hij moet een zacht plekje zoeken. Hij komt overeind en kijkt om zich heen. Als hij echt wil liggen, zal hij een stukje de berg op moeten. Terwijl alles om hem heen draait, klimt hij het pad op naar boven. Een eindje verderop ziet hij al een plek. Hij is er misschien maar zes stappen van verwijderd. Brian voelt zich zo ellendig dat hij zich afvraagt of hij die zes stappen wel zal halen. Ik val, denkt hij. Hij kijkt angstig naar de rivier. Stel je voor dat hij in het water valt en niet meer omhoog kan komen, dan verdrinkt hij. Hij duwt zijn natte hand tegen zijn voorhoofd. Dat helpt. Nog een stap doet hij, en nog een. Hij voelt dat het eigenlijk niet meer gaat, maar hij loopt toch verder. Nog één stap, denkt hij. Hij tilt zijn voet op en dan wordt hij zo duizelig dat hij niet meer rechtop kan staan. Hij grijpt achter zich een tak vast, maar hij heeft geen kracht meer en valt van de berg naar beneden. Dan wordt het zwart voor zijn ogen.

20

De week is alweer om. Nona zit naast haar tante in de auto. Ze heeft het zo fijn gehad. Niet alleen omdat ze elke dag heeft paardgereden, maar ook omdat ze met tante Monique zo goed kan praten. Monique luistert echt.

De eerste dagen had Nona het steeds over Jules. Ze moest gewoon over hem praten. Het zat haar enorm dwars. Ze vertelde Monique van alles. Hoe fijn ze het had gevonden om met Jules naar zijn vader te gaan. En dat ze alles met Jules besprak. 'We hadden ook altijd zo'n lol,' zei ze steeds. En dan begon ze weer te huilen.

'Weet je wat mij nou opvalt?' zei Monique ineens. 'Je noemt allemaal dingen op die bij vriendschap horen.'

Nona snapte eerst niet wat haar tante bedoelde. 'We waren toch ook goeie vrienden.'

'Ja,' zei tante Monique, 'maar als je heel verliefd op iemand bent, dan wil je elkaar ook heel graag aanraken.'

'Wat nou,' zei Nona geërgerd. Begon Monique nou ook al? Haar vriendinnen zeurden daar ook steeds over in hun mailtjes. *En zoenen jullie lekker? En wat doet hij nog meer bij je?* Dat vond ze ook altijd zo irritant. Alsof dat zo belangrijk was. In het begin wilde ze wel heel graag met Jules zoenen. Maar daarna eigenlijk niet meer zo vaak. Ze dacht er soms helemaal niet aan. En Jules vast ook niet, want hij drong er ook nooit op aan. En nou begon Monique daar ook al over. Jules was voor haar de liefste die er bestond. Daar hoefde hij heus niet lekker voor te zoenen. Maar als ze erover nadacht, werd ze toch onzeker. Misschien was het ook wel raar dat ze daar helemaal niet zo'n behoefte aan hadden. Justin en Isa waren heel anders. Die stonden vaak ergens te vrijen. En Annabel en Kars ook. Zou tante Monique soms gelijk hebben? Was ze eigenlijk wel verliefd op Jules?

'Wat vond je nou het allerfijnst van jullie verkering?' vroeg Monique.

'Dat we altijd samen waren,' zei Nona. 'Jules liet me nooit stikken, zoals mijn vriendinnen wel eens doen.'

'Maar Brian toch ook niet?' vroeg Monique.

'Nee,' zei Nona. 'Maar Brian wil heel vaak alleen zijn en Jules niet. Die is net als ik, hij vindt het met zijn tweeën veel gezelliger. Ook al hebben we niks te doen.' Ze moest er zelf om lachen. 'Als we maar bij elkaar zijn, dan vinden we alles best.'

'Hartsvrienden hebben dat ook. Die kunnen altijd op elkaar rekenen en ze weten alles van elkaar. Dat is iets heel moois als je dat met iemand hebt,' zei Monique.

'Dat heb ik al heel lang met Jules,' zei Nona. 'Sinds we op de camping komen. En toen was ik opeens verliefd op hem. Tenminste, dat dacht ik.' Ineens wist ze het niet meer zeker.

'Misschien dacht Jules dat ook wel,' zei tante Monique. 'Omdat het de eerste keer is dat jullie echt een hartsvriend hebben gevonden. Denk er maar eens over na.'

Steeds als Nona op haar paard langs de oever van de rivier reed, dacht ze eraan. Totdat ze langs een paartje kwam dat zat te vrijen. Zou zij dat ook willen? Zou ze willen dat Jules dat ook bij haar deed? En opeens wist ze hoe het zat: Jules en zij waren heel goeie vrienden.

'Weet je dat je heel veel geluk hebt met zo'n goede vriend?' zei tante Monique. 'Want die hou je vaak voor je hele leven. En verkering kan zo uitgaan, dat heb je zelf gemerkt.'

Bij alles wat Nona deze week beleefde, dacht ze hetzelfde: dit moet ik aan Jules vertellen. Maar dan schrok ze, omdat het niet meer kon. Die gedachte maakte haar verdrietig.

Ik ben mijn beste vriend kwijt, dacht ze. Die stomme verkering heeft alles kapotgemaakt. Zou het ooit weer mooi kunnen worden tussen Jules en haar? Zouden ze ooit weer vrienden kunnen zijn? Ze heeft het hem wel ge-sms't. Maar kan het ook?

Ze voelt de spanning als de auto de camping op rijdt. Ik wil het terug, denkt ze, ik wil onze vriendschap terug...

Terwijl de crew maar vergadert, denkt Jules aan Brian. Stel je voor dat er echt iets met hem is. Dat zou toch verschrikkelijk zijn? Geen paniek, zegt hij tegen zichzelf. Ze hebben gelijk: toen Nona weg was, dacht hij ook meteen het ergste. Omdat hij één keer in zijn leven iets heel ergs heeft meegemaakt met het ongeluk van zijn moeder. Dat was ook verschrikkelijk. Het was een nachtmerrie toen hij hoorde dat ze op slag dood was geweest. Daarom denkt hij nu ook dat het slecht afloopt, maar dat hoeft helemaal niet. Brian heeft gewoon ergens een grot ontdekt. Maar een paar minuten later gaat het weer door zijn hoofd: Brian is 's avonds vertrokken. In zijn gedachten ziet Jules zijn vriend in het donker over de rivier gaan. Dat is toch ook gevaarlijk. Het vliegt hem aan. Lucht, denkt hij en hij loopt naar buiten. Hij loopt over de camping heen en weer. Het zit hem helemaal niet lekker hoe ze op zijn verhaal hebben gereageerd. Voor het eerst mist hij Nona. Als zoiets een paar weken geleden was gebeurd, was ze zeker met hem Brian gaan zoeken. Nu kan dat nooit meer. Hij had nooit verkering met haar moeten nemen. Ze sms'te dat ze vrienden wilde blijven, dat is hartstikke lief. Maar hij gelooft nooit dat

dat kan. Ze kan elk moment op Timboektoe aan komen, dat vertelde Isa net. Maar ze zal heus niet meteen naar hem toerennen.

De frisse lucht doet hem goed. Hij wil weer teruggaan, maar hij schrikt. Een eindje verderop staat Nona. Jules wil zich snel omdraaien, maar Nona heeft hem al gezien. Ze kijken elkaar aan en dan weet hij het. Het is er nog! Het mooie dat ze hadden, is er nog steeds.

'Jules!

'Nona!

Ze rennen naar elkaar toe. Jules pakt Nona vast en zwiert haar in het rond. Als hij haar heeft neergezet, houden ze elkaar stevig vast.

'Hé, stommerd!' Nona geeft Jules een zoen. En dan moeten ze alle twee lachen en huilen tegelijk. Het is net zoals vroeger, als ze elkaar na een jaar weer terugzagen.

'Weet je dat we allemaal naar jou hebben gezocht?' zegt Jules. En hij vertelt het hele verhaal.

'Ik schaam me dood,' zegt Nona. 'Wat stom van me dat ik zo ben weggegaan. Ze zullen wel kwaad op me zijn. Jij niet, hè?' En ze aait Frodo, die haar likt.

Jules dacht dat hij nooit meer een geheim met Nona zou kunnen delen. En nu, na vijf minuten, weet Nona al wat er gisteravond tussen Jules en Brian is gebeurd. Nona schrikt er nog erger van dan van de leegloop van Timboektoe.

'Wat erg!' zegt ze.

'Ja, en het is mijn schuld,' zegt Jules. 'Ik had heel anders moeten reageren. Ik snap best dat je kwaad op me bent.'

'Het kan me helemaal niet schelen hoe jij reageerde,' zegt Nona. 'Daar gaat het nu toch niet om. Waar is hij? Dat is het enige wat nu belangrijk is. Dat Brian weer veilig terugkomt. Het klinkt echt heel eng. Ik ga 'm meteen bellen.'

'Dat heb ik al honderd keer gedaan,' zegt Jules. 'Maar zijn mobiel staat uit.'

Nona toetst toch Brians nummer in.

'Zie je wel dat hij niet aan staat.'

'Ik snap niet waarom hij hem heeft afgezet. Dat is niks voor Brian,' zegt Nona. 'Hij heeft zijn mobiel altijd aan. Wacht eens even, het kan ook zijn dat hij geen bereik heeft.'

'We zitten hier niet in de woestijn,' zegt Jules. 'Ik ken deze omgeving toch? Bijna overal staan van die palen, ook langs de rivier. Dat moet wel, voor al die toeristen die hier komen. Zelfs in de bergen kun je bellen.'

'Maar niet in de grot,' zegt Nona.

'Wat goed van jou! Dat ik dat nou niet heb bedacht.' Jules slaat zich voor zijn hoofd. 'Het is zo logisch. Hij heeft zich in de grot verstopt. Hij durft niet meer naar Timboektoe toe.'

'Hij schaamt zich voor je,' zegt Nona. 'Hij durft je niet meer onder ogen te komen. Daarom zit hij daar.'

'Kom op,' zegt Jules. 'We gaan naar hem toe.'

En alsof er nooit iets tussen hen is gebeurd, rennen ze met Frodo de camping af.

Echt Nona weer, denkt Jules als ze naar de grot lopen. Brian heeft zich vast in de grot verstopt. Hij weet het zeker. Ze steken het pad over achter de camping.

'Het gras is nog hoger geworden,' zegt Nona. 'We zijn hier ook zo'n tijd niet geweest.'

'De braamstruiken zijn nog gemener dan ze al waren. Au!' Jules trekt een doorn uit zijn been. 'Daar heb jij geen last van, hè?' zegt hij tegen Frodo. 'Hij zal wel schrikken als hij ons ziet.'

'Natuurlijk niet,' zegt Nona. 'Hij hoopt juist dat jij naar hem toe komt. Ik wacht wel buiten, dan kunnen jullie de ruzie bijleggen.'

'Nee, eh... Je kunt beter meegaan.' Jules vindt het ineens toch een beetje raar om alleen met Brian in de grot te zijn.

'Je bent toch niet bang voor hem, hè?' vraagt Nona.

'Nee,' zegt Jules.

Maar Nona ziet aan hem dat het niet waar is. 'Je bent wel bang,' zegt ze.

'Raar, hè?' Jules baalt van zichzelf. Het is echt weer iets voor hem om zo schijterig te doen.

'Ik vind het helemaal niet raar. Als Isa zou zeggen dat ze verliefd op mij was, zou ik me ook rot schrikken.'

'Dat zeg je maar.' Jules keert een kever om die op zijn rug ligt.

'Ik denk dat iedereen zoiets moeilijk zou vinden. Jij bent heus niet de enige.'

'Meen je dat echt?'

Nona knikt.

Gelukkig, denkt Jules. Dus zo gek is hij nou ook weer niet.

Frodo is al in de grot. Jules en Nona kruipen achter hem aan. Hoe vaak hebben ze dit niet gedaan? Het voelt heel vertrouwd. Ze doen expres heel zachtjes, ze zijn bang dat Brian zich verstopt als hij hen hoort.

'Ik heb hier ook nog geslapen, weet je nog,' zegt Jules. 'En nou schuilt Brian hier weer.'

'Ssst...' Nona legt haar vinger op haar mond.

'Hij kan ons hier toch niet horen,' fluistert Jules. 'Hij zat nooit in het eerste stuk. Brian was altijd in de tweede grot.'

Ze lopen een eindje door en dan doet Jules de zaklamp uit, anders ziet Brian hen aankomen.

'Ik zie helemaal niks,' fluistert Nona.

'Kom maar.' Jules pakt haar hand. Hij heeft vroeger wel vaker zonder licht door de grot gelopen. Hij kent de weg op zijn duimpje. Samen lopen ze door het donker. En dan blijft Jules staan. Ze luisteren, maar ze horen helemaal niks. Is Brian wel in de grot? Nona knijpt in Jules' hand. 'Schijn maar!' fluistert ze. Jules richt de zaklamp op de tweede grot.

'Brian!' roept hij. 'Ik kom zeggen dat ik spijt heb van wat ik tegen je heb gezegd.' Jules schijnt langs de wanden van de grot, maar ze zien Brian niet.

'Hij is er niet,' zegt Nona. 'Hij is er echt niet.'

'Dat kan niet,' zegt Jules. 'Hij moet hier zijn. Waar is hij anders?'

Ze schrikken van een vleermuis die vlak langs hen fladdert.

Nona loopt wat door de grot, maar eigenlijk is het zinloos. Er is nergens een plek waar Brian zich verstopt kan hebben.

'Wat sta je daar nou?' zegt ze tegen Jules, die maar op de muur schijnt.

'Die vleermuis...'

'Hè ja, laten we nu over een vleermuis beginnen,' zegt Nona. 'Brian is hier niet, we moeten iets doen.'

'Maar die vleermuis is er ook niet meer. Hij vloog daarheen en ineens was hij weg.'

Nona raakt geïrriteerd. 'Wat zeur je nou over die stomme vleermuis?'

'Volgens mij is hij daarin verdwenen, in die kier daar. Misschien dat Brian daar ook...'

'Nee, hè? Je denkt toch niet dat Brian door die kier past?'

'Nee,' zegt Jules. 'Maar het lijkt erop dat die steen los zit. Hij zet zijn vingers in de kier en wrikt. Maar hij hoeft helemaal geen kracht te zetten.

'Dat ding zit hartstikke los,' zegt Jules. 'Je kunt 'm zo verschuiven.' Hij pakt de zaklamp en schijnt in het gat.

'Wat zie je?'

Jules kruipt in het gat. 'Moet je nou zien!' Hij schijnt in het rond. 'Het is een soort gang,' zegt hij en hij loopt verder.

Nu kruipt Nona ook door het gat. Samen lopen ze door de gang en dan komen ze in een grote ruimte. Ze kijken omlaag en zien een soort meertje in een heel grote grot. Jules schijnt langs de wanden van de grot. Ze zien weer een gat en nog een en nog een. Ze lopen langs het water naar de dichtstbijzijnde opening.

Jules zet zijn handen voor zijn mond. 'Brian!' roept hij. Als ze niks horen, lopen ze door naar de volgende gang.

Nu roepen ze alle twee tegelijk: 'Brian!' Het galmt door de grot, maar het blijft stil. Als ze bij het derde gat ook niks horen, wil Jules erdoor kruipen.

'Niet doen,' zegt Nona. 'Stommerd, daar ga je toch niet zomaar in. Zo meteen verdwaal je. Als hier al drie gangen op uitkomen, is het misschien een heel gangenstelsel.'

Ze denken alle twee hetzelfde en kijken elkaar geschrokken aan. Als Brian hier in is gegaan, vindt hij de weg nooit meer terug.

'Hoe lang loopt hij daar al rond?' vraagt Nona.

Jules kijkt naar Frodo. 'Zoek Brian,' zegt hij. 'Zoek.'

'Vind je dat niet eng?'

'Frodo vindt zijn eigen spoor altijd terug,' zegt Jules. 'Zoek Brian,' zegt hij. Maar Frodo blijft voor het gat staan. Hij kijkt naar Jules.

'Zoek Brian.' In plaats dat Frodo door het gat gaat, blaft hij naar Jules.

'Je wilt iets zeggen, hè?' Jules probeert het nog één keer. 'Frodo, zoek!'

Weer begint Frodo te blaffen.

'Wat wil je zeggen?'

Er zal toch niks met Brian gebeurd zijn? Nu worden Jules en Nona nog ongeruster.

'Misschien is de gang wel ingestort en ligt hij ergens onder het puin,' zegt Nona. 'We moeten hem redden! Kom mee, we gaan terug naar de camping.'

De crew zit nog steeds in de kantine te vergaderen als Jules de deur opengooit.

'We weten waar Brian is!' roept hij.

Maar niemand let op hem. Ze komen allemaal naar Nona toe en willen weten hoe ze het heeft gehad.

'Hartstikke machtig,' zegt Nona. 'Ik heb een heleboel te vertellen. En ik vind het ook stom van mezelf dat ik zomaar ben vertrokken. Maar er is nu iets veel belangrijkers.'

'Jullie verkering is weer aan,' zegt Kars. 'Dat hadden we dus al gedacht.'

Jules en Nona gaan er niet op in. Het gaat nu om Brian, die is in gevaar.

'We hebben net een gat in de grot ontdekt waar allemaal gangen op uitkomen,' zegt Jules. 'We denken dat Brian daar zit.' Ze vertellen maar niet hoe Frodo reageerde en waar ze bang voor zijn: dan zou iedereen in paniek raken.

'Is hij daarin gegaan? In zijn eentje?' Edgar schrikt heel erg. 'Die broer van mij is toch ook hartstikke crazy. Wie doet nou zoiets? Daar kom je nooit meer uit.'

'Daarom zijn we ook hier,' zegt Jules. 'We moeten hem helpen.'

'Hoe weten jullie dat hij daar zit?' vraagt Kars.

'We dachten al dat hij in de grot zat,' zegt Nona. 'Brian gaat meestal naar de grot als hij zich rot voelt. En nu met die ruzie leek het ons logisch. Daarom heeft hij ook geen bereik. We gingen kijken en toen zagen we een loszittende steen. En daarachter zat een gat. Waarschijnlijk is hij daar doorheen gegaan en heeft hij de steen er weer voor geschoven.'

'Zou hij daar echt in zijn gegaan?' vraagt Isa. 'Waarom doet hij dat?'

'Omdat hij gek is,' zegt Edgar. 'Hij wil per se spannende archeologische ontdekkingen doen. Mijn opa was ook zo. Ze denken nergens aan hoor, die fanatiekelingen, alleen aan de oudheid. Ze gaan gewoon zo'n onderaardse gang in.'

'En nou loopt hij daar te dwalen,' zegt Kars.

'Laat mijn moeder het maar niet horen,' zegt Edgar. 'Die schrikt zich dood. Ze heeft hem zo vaak gewaarschuwd: je kunt verdwalen. We moeten er naartoe, jongens.'

'Dan zullen we wel een lang touw mee moeten nemen,' zegt Jules. 'Wie gaat er naar binnen?'

'Nou, mij lijkt het niks,' zegt Romeo, 'in mijn eentje in zo'n grot. Dan krijg ik last van claustrofobie.'

'Als je met een meid in een piepklein tentje ligt schijn je daar geen last van te hebben,' zegt Annabel.

'Ik vind het ook niet prettig om die grot in te gaan.' 'Ik ook niet...' Eigenlijk vinden ze het allemaal een beetje eng.

'Dan zullen we moeten loten,' zegt Kars.

'Nee,' zegt Edgar. 'Ik ga wel, het is mijn broer.'

'Oké,' zegt Kars. 'We binden het touw om je middel en als jij gaat lopen, blijven wij bij de ingang staan. Zodra je loopt, rolt het touw uit. Zo kun je altijd de uitgang terugvinden.'

'Ik heb liever dat je het ook nog ergens aan vastknoopt,' zegt Edgar. 'Stel je voor: je schrikt ergens van en je laat het touw los.'

'We houden het touw met twee man vast,' zegt Kars. 'Er kan echt niks misgaan.'

'We mogen wel een heel lang touw nemen,' zegt Romeo. 'Hebben we dat?'

'Mijn pa wel,' zegt Kars.

'Denk je dat hij het goed vindt?' vraagt Isa.

'We zullen het hem toch moeten vertellen,' zegt Kars. 'Sinds dat gedoe met die drugs wil hij precies weten wat er gebeurt.'

'Ik haal hem wel even,' zegt Isa.

'Hé Nona,' zegt Ad als hij de kantine in komt. 'Je bent weer terug. Heb je het fijn gehad?'

'Hartstikke fijn.'

'Mooi zo.' Ad kijkt naar de anderen. 'Jullie kijken alsof er iets ergs aan de hand is. Toch niet nog meer ellende op Timboektoe, hè? Ik vind dit voorlopig wel even genoeg.'

'Het gaat niet om de camping,' zegt Kars. 'Het gaat om Brian. Hij heeft waarschijnlijk iets heel stoms uitgehaald. We denken dat hij een gang in de grot heeft ontdekt.'

'En niet zomaar een gang,' zegt Jules. 'Nona en ik hebben het gezien. Het ziet eruit als een gangenstelsel.'

'En daar is Brian in gegaan?' vraagt Ad.

'Ik weet het bijna zeker,' zegt Nona.

'Dat mogen we dan wel meteen aan je moeder vertellen, Edgar. Ze was net bij me. Ze begreep niet dat Brian nog steeds niet terug was, maar nu snap ik het.'

'Die gek is erin gegaan en nou kan hij er niet meer uit,' zegt Isa.

'Edgar heeft zich als redder opgeworpen. Daarom hebben we een touw nodig,' zegt Kars. 'Onze vraag is: heb jij zo'n lang touw, pa? Of moeten we er een kopen? We willen het om Edgars middel binden en...'

Ad laat zijn zoon niet eens uitpraten. 'Al had ik zo'n touw, dan nog kregen jullie het niet, jongens. Dat is levensgevaarlijk. Je moet er toch niet aan denken dat het losschiet. Er hoeft maar iets te gebeuren... Het is al erg genoeg dat Brian erin is gegaan, daar gaan we niet nog iemand aan wagen.'

'We kunnen hem toch niet laten zitten?' zegt Kars.

'Jullie hebben het over een onbekend gangenstelsel,' zegt Ad. 'Wat kan er wel niet allemaal gebeuren? Daar moeten we de politie op af sturen. Die hebben speurhonden. Die honden gaan zo de grot in. En als Brian er inderdaad zit, dan hebben ze hem binnen een kwartier gevonden.'

'Die jongen toch!' roept de moeder van Brian als ze van Edgar hoort dat Brian waarschijnlijk in de grot is verdwaald. 'Wat zal hij in paniek zijn. Hij weet misschien helemaal niet meer hoe hij eruit moet komen.' Ze gaat met Edgar mee naar de kantine. De anderen staan al klaar om te gaan. Het wachten is op Ad, die met de politie belt.

'Een ondergronds gangenstelsel?' vraagt ze. Ze loopt te ijsberen voor de kantine. 'Als zo'n gang maar niet instort. Zo meteen ligt hij ergens bedolven onder het puin. Ik heb hem zo vaak gewaarschuwd: niet in je eentje een gang in gaan. Het moest een keer misgaan.' Ze grijpt wanhopig naar haar hoofd.

'De gang kan niet zomaar instorten, mam,' zegt Edgar. 'Brian kan hooguit verdwaald zijn.'

Het bericht overviel Brians moeder, maar nu dringt het steeds meer tot haar door wat er aan de hand is. 'Stel je voor dat hij een stuk steen op zijn hoofd heeft gekregen. Waarom duurt het zo lang? Ik wil er naartoe.'

Kars loopt naar het kantoortje van Ad. Even later komt hij terug. 'Mijn vader wordt steeds met een andere afdeling doorverbonden. Ik heb gezegd dat wij vast gaan.'

De crew loopt met de moeder van Brian naar de grot.

'Au!' piept Isa. 'Had ik maar een lange broek aangetrokken. Die rotdoorns. Moet je kijken, dat ding zit helemaal in mijn vel.' En ze trekt hem eruit.

'Ja, je moet wel door de braamstruiken, mam,' zegt Edgar. 'Anders kun je er niet komen.'

Zijn moeder voelt de schrammen niet eens. Ze denkt alleen maar aan haar zoon, die in het donker in een gangenstelsel is verdwaald.

Ze zijn al halverwege, als Brians moeder blijft staan. 'Toch vind ik het niks voor Brian. Als hij naar de grot is gegaan, dan moet hij vlak langs de camping zijn gekomen. Denk je nou echt dat Brian mij dan niet even gedag gezegd zou hebben? Helemaal omdat hij weet dat ik ongerust word als ik alleen Jules zie rondlopen. Hij is altijd zo zorgzaam. Edgar laat me nog wel eens in ongerustheid zitten, maar Brian nooit. Al komt hij maar een kwartier later, dan belt hij me al.'

'Misschien durfde hij het niet,' zegt Nona. 'Want dan zou je weten dat hij in het donker is teruggevaren.'

Nee, hè, denkt Jules, waarom vertel je dit nou?

Hij stoot Nona aan, maar ze heeft het niet door en gaat gewoon verder. 'Hij dacht natuurlijk: dat hoeft mijn moeder niet te weten, ik slaap wel in de grot en dan ziet ze me morgen wel, als Jules ook terug is. Gisteravond wist hij natuurlijk niet dat hij vanochtend zou verdwalen.'

'Gisteravond?' roept de moeder van Brian uit. Ze gaat met haar hand langs een schram. 'Jullie zijn toch vanochtend vertrokken?' Ze kijkt Jules aan.

Help, denkt Nona. Wat heb ik gezegd? Maar nu is het al te laat.

Jules wordt rood. Nu moet hij wel vertellen dat Brian gisteravond al is vertrokken. Het was toch uitgekomen, want de politie zal straks ook wel van alles aan hem vragen. Hij is niet van plan erover te liegen.

'Nee, hè?' zegt de moeder van Brian als ze ziet dat Jules bloost. 'Het is toch niet zo dat Brian gisteren al is weggegaan?'

'Eh... eigenlijk wel,' zegt Jules. 'Rond een uur of acht.'

'Acht uur?' roept ze geschrokken uit. 'Is hij toen dat hele eind nog gaan varen?'

'Ik geloof het wel. Toen hij maar niet terugkwam en ik ging kijken, was zijn boot weg.'

'Tegen de stroming op nog wel? Dan heeft hij nooit voor het donker de camping kunnen bereiken! Dan moet hij het laatste stuk in het donker hebben gevaren...' Brians moeder schudt haar hoofd. 'Wat verschrikkelijk! Als er maar niks is gebeurd...'

'Mam, rustig nou.' Edgar slaat een arm om zijn moeder heen. 'Je maakt jezelf van streek. Brian zit waarschijnlijk in de grot. Wedden dat de politie hem zo vindt?'

'Hoe lang gaat dat nog duren? Ze zijn er nog niet eens. Daar ga ik echt niet op wachten. Die jongen is in het donker naar Timboektoe gepeddeld. Denk je eens in wat dat betekent! Overal in de rivier liggen stukken rots. In het donker zie je die niet, hoor. God weet wat er is gebeurd. Zo meteen is hij omgeslagen en ergens aangespoeld. En wij hier maar wachten, alleen omdat jullie vermoeden dat hij naar de grot is gegaan. Van mij mag de politie hem in de grot zoeken, maar ik ga de rivier af.' En ze draait zich om.

'Mam.' Edgar grijpt haar vast. 'Jij gaat niet dat hele eind kanoën. Als er iemand de rivier af gaat zoeken, dan ben ik het.'

‘Dat zou ik fijn vinden, jongen, maar ik wil niet dat je alleen gaat.’

‘Ik ga met je mee,’ zegt Kars. ‘We varen helemaal naar die camping. Als we hem tegenkomen hoort u het meteen.’

‘Als de politie Brian in de grot vindt, moeten jullie meteen bellen,’ zegt Edgar.

‘Wat denk je nou?’ zegt Isa. ‘Dan horen jullie het gelijk.’

Kars en Edgar lopen naar de steiger en een minuut later peddelen ze weg.

De politie neemt de zaak heel serieus op. Een half uur later staan er al twee agenten bij de grot. Eerst willen ze precies van Jules horen hoe laat Brian gisteravond van de camping is vertrokken en of hij nog gezegd heeft waar hij heen ging. Jules vertelt over de ruzie, dat hij zelf kwaad was weggelopen en dat Brian er niet meer was toen hij rond acht uur terugkwam.

‘En jullie vermoeden dat hij de grot in is gegaan?’

‘Ja,’ zegt Jules. ‘Brian zoekt altijd troost in de grot.’

‘Dan moeten we maar eens een kijkje nemen,’ zegt de agent. ‘Maar we gaan niet met zijn allen naar binnen. Dat is te lastig. Alleen Jules en Nona mogen mee, om het gat aan te wijzen.’

Terwijl een van de agenten hen bijschijnt, lopen ze door de grot. Jules heeft een raar gevoel in zijn maag en Nona ook. Het is ook zo’n akelige gedachte dat hun vriend misschien in gevaar is en door de politie moet worden opgespoord. Ze raken er een beetje van in de war.

‘Jij moet zeggen waar het was,’ zegt Nona. ‘Ik weet het echt niet meer.’

Van de stress begint Jules ook te twijfelen. Weet hij het zelf nog wel? Vlak bij de tweede grot blijft hij staan. ‘Hier is het ergens.’

'Zeg het maar.' De agent geeft hem de zaklamp. Jules voelt dat zijn hand trilt als hij over de muur schijnt. Stel je voor dat hij het niet meer kan vinden, dan staan ze voor gek. Maar een eindje verderop ziet hij ineens het gat verschijnen.

'Daar is het,' zegt hij opgelucht. 'En deze steen zat ervoor.'

'Dat is inderdaad een opening.' De agent loopt er naartoe, neemt de lamp weer van Jules over en schijnt naar binnen.

'Ik ga wel even kijken,' zegt zijn collega en hij kruipt de grot in.

Vol spanning wachten Jules en Nona tot de agent terugkomt.

'Zo te zien is dit een onderaards gangenstelsel,' zegt hij. 'Daar kunnen we niet zomaar in gaan en onze honden ook niet. We hebben geen idee hoe het loopt. Eerst moet er een deskundige bij komen. We zullen een archeoloog moeten bellen. Die herkent het systeem zo.'

Als ze buiten komen, stormt de moeder van Brian meteen op de agenten af. 'Denkt u dat mijn zoon in de grot is verdwaald?'

'Dat kunnen we nog niet zeggen.'

'Hebt u dan geen voetafdrukken gezien?'

'Ja, maar die kunnen net zo goed van deze twee jonge mensen zijn. Die zijn tenslotte vanochtend in de grot geweest.'

De agent pakt zijn mobiel en geeft door dat ze een archeoloog moeten sturen.

'Als de archeoloog ons kan zeggen hoe het stelsel loopt, sturen we de honden erop af,' zegt hij tegen Brians moeder. 'U moet nog even geduld hebben.'

21

Kars en Edgar hebben supersnel gevaren. Ze zijn al bijna bij de plek waar Jules en Brian hebben gekampeerd.

'Geen spoor van mijn lieve broertje,' zegt Edgar als ze hun boot bij de camping aanleggen. 'Mijn moesje kan gerust zijn. Brian zit in de grot. Die moest weer met zijn eigenwijze hoofd een of ander onderaards gangenstelsel in gaan.'

'Moeten we nog even informeren bij de beheerder?' vraagt Kars.

'Vind je? Het heeft toch geen zin.'

'We zijn hier nou helemaal heen gevaren.' Kars stapt uit zijn boot. 'Laten we het dan ook maar goed doen.'

'Je hebt gelijk. Anders is mijn mamsie nog niet gerustgesteld.'

Met zijn tweeën lopen ze de camping op.

'Mooi plekkie,' zegt Edgar als ze langs een tent komen waarvoor twee meiden zitten.

'Ja ja,' lacht Kars. 'Jij wilt hier wel een nachtje logeren, hè?'

Aan het eind van het pad zien ze een klein gebouwtje. Dat moet van de beheerder zijn.

Als ze binnenkomen, zien ze een man achter een tafel een krant lezen. 'Wat kan ik voor jullie doen?' vraagt hij.

'Eh, ja, eigenlijk komen we hier voor mijn broer,' zegt Edgar. 'Hij heeft zich hier eergisteren ingeschreven met zijn vriend en een hond.'

De man kijkt in het boek. 'Ik zie dat hier eergisteren inderdaad twee jongens waren met een hond. Ik was hier niet, maar mijn collega wel. Wat is er met die jongens?'

'Een van hen is mijn broer,' zegt Edgar. 'Ze denken dat hij gisteravond is weggevaren, maar omdat hij nog steeds niet terug is, kan het ook zijn dat hij hier nog ergens rondloopt. Ik wou vragen of u hem vandaag nog heeft gezien, maar als u er eergisteren niet was, dan weet u niet hoe hij er uitziet.'

'Er is hier nog wel een zwarte jongen op de camping,' zegt de man. 'Ik zag hem net nog, een kwartiertje geleden. Ik denk dat hij hier niet weg kan komen. Er hangt namelijk een heel lief meisje om zijn nek. En hij schijnt haar erg aardig te vinden.'

'Mijn broer?'

'Ga maar kijken,' zegt de man. 'Achter het washok is een veldje.'

'Die Brian!' Kars en Edgar moeten lachen. 'Dat is toch wel een stiekemerd, hè? Op ons feest kijkt hij geen meid aan. Die zullen we krijgen.' Ze verstoppen zich achter het washok en gluren naar het veldje.

'Daar staan ze!' Kars wijst naar de struiken. Er staat een verliefd stelletje. Van de jongen zie je niet veel, alleen zijn zwarte haar.

'Dat doet hij niet voor de eerste keer,' zegt Kars. 'Die heeft ons goed beetgehad.'

'Jammer dat ik mijn camera niet bij me heb. Dan had ik hem betrapt.'

'Nee, kijk nou eens,' zegt Edgar als de jongen het meisje loslaat. 'De blooper van de dag. Het is Brian helemaal niet.'

Grinnikend lopen ze weg. 'Hoe kon ik het ook denken? Zo zie je maar hoe maf je kunt worden als je moeder ongerust is. Ik wist het wel, Brian zit in de grot. En nu kunnen wij het hele eind terugpeddelen, tegen de stroming op. Bedankt, broertje.'

Als ze weer bij het strandje zijn, zegt Edgar: 'Weet je wat ik hoop? Dat ze nog even wachten met die speurtocht in de grot.

Laat mijn broer nog maar even lekker stressen daar. Ik wil die kop wel eens zien als hij naar buiten komt. Wat zal die 'm knijpen. Dat doet hij niet meer, hoor, wedden? Wat een eikel is het toch.'

Naast hun kano's zit een jongen van een jaar of tien in een rubberboot. Zijn vader staat ernaast. 'Nou, veel plezier en niet voorbij dat bord daar, hè? Daar is de stroming te sterk, dat is levensgevaarlijk.'

'Dat weet ik nou wel,' zucht de jongen.

'Ik kan het niet vaak genoeg zeggen. Vanochtend zag ik daar ook weer een wrakstuk van een boot liggen. Hoe denk je dat dat daar komt? Op een rots kapotgeslagen. Jij wilt toch niet dat jouw boot ook kapot gaat?'

Wat zegt de man nou? Edgar en Kars kijken elkaar geschrokken aan.

'Waar was dat?' vraagt Kars.

'Zie je daar dat gevarenbord?' vraagt de man. 'Ongeveer twee kilometer verder. Ik loop 's morgens altijd hard langs de rivier, zie je. Het is niet de eerste keer dat ik zoiets aantref. Het staat er met grote letters. En toch zijn er altijd gasten die zich er niks van aantrekken.'

Edgar wordt bleek. 'Was het van een kano?' vraagt hij.

'Geen idee. Ik was aan het hardlopen, hè? Dan blijf je niet staan kijken. Het zou best van een kano kunnen zijn, maar voor hetzelfde geld is het van een roeiboot.'

'Het hoeft niet van Brian te zijn,' zegt Kars. 'Hé, gozer.' Hij slaat een arm om Edgar heen. 'Denk nou niet meteen het ergste. Jouw broer zit in de grot. Dat zei je net zelf nog. Er ligt zoveel in de rivier, toch?' Kars zegt het om Edgar op te vrolijken, maar zelf is hij ook heel erg geschrokken.

'Jezus man, ik sta te trillen op mijn poten,' zegt Edgar.

'Ik vind wel dat we erheen moeten. Als jij niet durft wil ik wel alleen gaan.'

'Ben je gek? Ik ga met je mee, man.'

'Wil je dat ik Ad bel om het te vertellen?'

'Alsjeblieft niet. Laten we eerst maar kijken voordat iedereen in paniek raakt.'

Ze duwen hun boot verder het zand op en dan nemen ze samen het pad langs de rivier.

Kars kijkt steeds even naar Edgar, die verkrampt naast hem loopt. Hij zou hem moeten afleiden, maar hij weet niet zo goed wat hij moet zeggen.

'Ik denk toch niet dat je je ongerust hoeft te maken,' zegt Kars. 'Waarom zou Brian deze kant op zijn gegaan? Hij heeft hier toch niks te zoeken?'

'Nee, helemaal niks. En hij weet hoe gevaarlijk de stroming hier is.'

'Daarom denk ik niet dat het wrakstuk iets met Brian te maken heeft.' Kars kijkt voor de zoveelste keer op zijn mobiel, maar hij heeft geen gemiste oproep. Pa, bel dan dat Brian is gevonden, denkt hij.

'Stel je voor dat het wel van Brians kano is,' zegt Edgar. 'Het is mijn broer, man...'

'Daar moet je niet aan denken. We moeten nog een heel eind lopen. Tegen de tijd dat we er zijn, heb jij een hartaanval en je broer zit heerlijk in de grot.'

'Denk je dat echt?' Edgar kijkt Kars hoopvol aan.

Was het maar waar, denkt Kars. Hij weet het niet. Hij wil zijn vriend niet nog ongeruster maken, maar hij wil ook niet liegen. 'Laten we het hopen,' zegt hij.

Edgar raapt een steentje op en smijt het in het water.

‘Daar zul je de archeoloog hebben,’ zegt de agent als er een man komt aanlopen. Hij stapt op hem af. ‘Fijn dat u zo snel hier kon zijn.’

De archeoloog kijkt naar de rots. ‘Zo’n klusje heb ik niet elke dag. Ik hoorde iets over een ondergronds gangenstelsel.’

‘Jazeker,’ zegt de agent. ‘Deze twee hebben dat vanochtend ontdekt.’ En hij stelt Jules en Nona aan de archeoloog voor.

‘Als het zo is, dan hebben jullie wel een heel bijzondere ontdekking gedaan,’ zegt de man. ‘Helaas leert de ervaring mij dat het meestal niet zo interessant is als men denkt. Maar het is altijd de moeite waard om het te bekijken.’

‘Het gaat nu niet zozeer om het gangenstelsel als wel om een vriend die mogelijk naar binnen is gegaan en verdwaald is,’ zegt de agent

‘O, wat vervelend,’ zegt de archeoloog. ‘Dat hebben ze mij niet eens verteld.’

De moeder van Brian komt er ook bij staan. ‘Het is mijn zoon die misschien binnen is,’ zegt ze. ‘Denkt u dat hij gevaar loopt?’

‘Dat lijkt me niet,’ zegt de man. ‘Ik moet het natuurlijk nog bekijken, maar in de meeste gevallen komen ze er weer gezond en wel uit hoor, mevrouw.’

‘Zullen we dan maar?’ vraagt de agent. ‘Een van jullie mag mee naar binnen,’ zegt hij als de archeoloog knikt.

‘Ga jij maar,’ zegt Nona tegen Jules.

‘U moet wel door een uiterst nauwe doorgang,’ waarschuwt de agent.

‘In mijn beroep zijn we wel wat gewend. Ik heb erop gerekend.’ De man trekt zijn jasje uit, haalt een soort overall uit zijn tas en trekt hem over zijn kleren aan. Achter de agent kruipt hij op zijn buik door de spleet.

Jules denkt aan die ene keer dat ze de stagiair bij zich hadden. Toen was het ook spannend, omdat het om de muurschildering ging. Maar het was niets vergeleken met de spanning die hij nu voelt. Hij heeft zelfs kramp in zijn maag. Het is nogal wat dat zijn vriend in het gangenstelsel zit opgesloten. Stel je voor dat er straks wordt gezegd dat het daar heel gevaarlijk is en dat niemand het mag betreden. Wat dan? En dat allemaal omdat hij zo stom op Brian heeft gereageerd. Hè ja, zegt hij tegen zichzelf. Ga daar nu ook nog even lekker aan denken. Logisch dat je maagpijn hebt. Misschien komt het allemaal goed. Hij kijkt naar de agent, die op de muur schijnt.

De agent hoeft niets te zeggen. De man ziet de opening zelf al. 'Aha, hier moet het zijn.' Hij loopt naar het gat. Jules kijkt vol spanning toe hoe hij door het gat heen kruipt. Wat zal hij straks zeggen als hij naar buiten komt? Hij ziet dat de agent het ook spannend vindt. Jules kijkt maar naar het gat en dan weer op zijn horloge. De man is pas tien minuten binnen, maar het lijkt wel tien uur. Zijn hart staat stil als de archeoloog na een kwartier uit het gat tevoorschijn komt.

'Het is een zeer bijzondere ontdekking,' zegt hij. 'Een onderaards gangenstelsel dat heel uitgestrekt is. Wat de jongen betreft, hoeft u zich geen zorgen te maken. Het gangenstelsel verkeert in zeer goede staat. Het zou als het ware zo voor het publiek opengesteld kunnen worden. U kunt uw honden er gerust op loslaten en dan zal de jongen snel worden bevrijd. Ik ken dit soort stelsels en zal het voor u tekenen. U moet toch weten hoe de vertakkingen lopen, neem ik aan.'

Jules zucht opgelucht. Zijn vriend komt er levend uit, dat is zeker. Hij vindt het meteen minder erg. Die Brian, denkt hij. Hij moest eens weten dat we hier met een archeoloog staan.

Zodra ze buiten komen, rent Brians moeder naar hen toe. 'En?'

'Het komt allemaal goed, mevrouw,' zegt de archeoloog. 'Uw jongen loopt geen gevaar.'

'Wanneer gaat u de grot in?' vraagt Ad.

'Ik zal de honden moeten halen,' zegt de agent.

'Ik ga gelijk mee,' zegt de archeoloog. 'Dan maak ik op het bureau een plattegrond.'

'Hoe lang denkt u daarvoor nodig te hebben?' vraagt de agent.

'Ik schat een minuut of twintig. En dan zijn we weer terug en kan de zoektocht beginnen. Ik wil heel graag een tochtje door het gangenstelsel maken.' Hij kijkt naar de anderen. 'Laten we deze ontdekking nog even geheimhouden voor de buitenwereld. Ik stel voor dat we de krant er pas bij halen als de jongen eruit is.'

Het duurt twee uur en dan gaan ze Brian uit de grot bevrijden. Jules is er zeker van dat ze zijn vriend vinden. Het heeft geen zin om twee uur te staan wachten. Daarom loopt hij met Nona terug naar de camping. Het voelt nog best ongemakkelijk. Nona houdt zich flink, maar Jules voelt toch dat ze het moeilijk vindt dat hun verkering uit is. Hij weet zelf ook niet meer zo goed wat hij moet zeggen. Op de heenweg hebben ze de hele tijd over Brian gepraat. Maar nu er niet zoveel meer te zeggen is, lijkt het best een eind.

Als ze eindelijk bij de camping komen, gaat iedereen de kantine in.

Jules loopt door naar zijn fiets. Hij heeft geen zin om al die tijd met zijn mond vol tanden naast Nona te zitten. Dan gaat hij liever even naar zijn vader. De laatste keer ging het erg goed met hem. Het liefst had Jules het tegen iedereen verteld, maar hij houdt zich in. Stel je voor dat hij straks komt en zijn vader zit weer in het café. Dat kan zo gebeuren. Hij moet zich erop voorbereiden, anders komt de klap nog harder aan.

Een paar jaar geleden dacht hij ook dat het goed met zijn vader ging. Mijn vader is van de drank af, dacht hij steeds. Toen had Jules er alles voor stop gezet. Geen vrienden, geen feestjes. Na schooltijd reed hij meteen naar huis, naar zijn vader. Hij deed net alsof hij hem kwam helpen in de antiekwinkel, maar Jules wilde hem in de gaten houden. Hij heeft niet gedronken, dacht hij telkens als hij thuiskwam. Wat was hij gelukkig. Totdat hij zijn vader 's nachts betrapte met een fles whisky. Jules was er zo van in de war dat hij zich helemaal niet meer op zijn schoolwerk kon concentreren. Hij haalde de ene onvoldoende na de andere. De leraren begrepen er niks van. Jules wilde ook niets vertellen. Niemand mocht weten dat zijn vader dronk. Hij werd bij zijn mentor geroepen. Maar hoe de man ook preekte, het kon Jules niks schelen. Niets kon hem meer schelen. Het had wel een half jaar geduurd voor hij over de klap heen was. Mijn vader is alcoholist, zei hij steeds tegen zichzelf. Hij wilde eraan wennen. Wat moest hij anders? En nu is hij er ook aan gewend, al doet het nog zo'n pijn. Soms denkt hij wel eens terug aan die tijd. Hij was zo somber dat hij 's morgens niet eens wilde opstaan. Waarvoor moet ik nog verder leven? dacht hij dan. Dat wil hij zichzelf niet meer aandoen. Hij moet voorzichtig zijn. Hij wil niet opnieuw onderuit gaan, want als zijn vader weer aan de drank is, moet hij sterk zijn. Er zal toch iemand voor hem moeten zorgen.

Jules zet zijn fiets voor de kliniek. Hij krijgt het sleuteltje niet eens uit het slot, zo gespannen is hij.

Hij loopt de hal in en hoort een blije stem.

'Jules!' Jules draait zich met een ruk om. Hij kijkt naar de man die naar hem toe komt lopen. Is dat zijn vader? Wat ziet hij er goed uit!

'Pap!' Jules rent naar hem toe. Het gaat goed, hij hoeft zijn vader niks te vragen. Sinds zijn moeders dood heeft zijn vader er niet meer zo sterk uitgezien. Zijn vader pakt Jules' handen vast.

'Fijn jongen, dat je er bent.'

'Bikkel!' zegt Jules. 'Ik wist het, pap, ik wist dat je het ging redden. Is het moeilijk?'

'Nu niet meer zo. Het wordt tijd dat ik het gewone leven weer oppak.'

'Je bedoelt dat de antiekwinkel weer opengaat?'

Jules kan wel huilen van blijdschap. Dit had hij niet meer durven hopen. 'Ik help je, pap. We mesten de hele boel uit en dan maken we er iets moois van. Je kunt op me rekenen. Ik vertel meteen op de camping dat ik wegga.'

'Kom even mee naar de tuin. Ik moet je iets vertellen.'

Ze gaan op de bank bij de vijver zitten.

'Weet je, Jules, ik heb erover nagedacht, maar ik wil de antiekwinkel verkopen.'

'Wat?' Jules wordt rood van schrik.

'Begrijp me niet verkeerd, jongen. Het doet me teveel aan je moeder denken. Ik wil iets anders gaan doen.'

'Maar ons huis dan?' zegt Jules geschrokken. Als zijn vader de antiekwinkel van de hand doet, moeten ze ook verhuizen. Alle herinneringen aan zijn moeder… Voor Jules voelt het net alsof hij dan alles achterlaat. Maar als zijn vader denkt dat het beter voor hem is, dan moet het.

'Wat zou je dan willen doen?' vraagt Jules.

'Iets met mensen,' zegt zijn vader. 'In de antiekwinkel voelde ik me vaak alleen. De eenzaamheid vloog me aan. Ik heb mensen nodig, dat merk ik hier ook. Ik voel me prettig tussen de mensen.'

Jules knikt. 'Maar je hebt niet zomaar werk.'

'We zullen wel zien hoe dat gaat. Maar de eerste stap moet worden gezet. We zetten ons pand te koop.'

Jules denkt er de hele weg aan als hij terug fietst. Wat wil zijn vader gaan doen? En waar gaan ze dan wonen? Stel je voor dat ze verhuizen en dat het toch mis gaat met zijn vader. Dan zijn ze hun vertrouwde plek ook nog kwijt. Misschien vindt zijn vader wel een baan in een heel andere streek. Dan kan hij nog van school veranderen ook. Jules denkt aan zijn vrienden. En de camping? Hoe moet het dan met Timboektoe? Ineens voelt hij hoe belangrijk het allemaal voor hem is. Hij kijkt om zich heen. Elke boom, alles in deze omgeving herinnert hem aan de tijd dat zijn moeder nog leefde. Dat ze met zijn drietjes gelukkig waren. Ik wil hier niet weg, denkt hij. Hij voelt dat hij het niet durft. Hij weet hoe het komt. Hij is veel te bang dat zijn vader toch weer terugvalt. Ik drink nooit meer een druppel, zei hij net nog. Hoe vaak heeft Jules dat niet gehoord? Als het echt waar is, als zijn vader echt van de drank af kan blijven, dan kan het hem allemaal niks schelen, al moeten ze naar de andere kant van de wereld verhuizen. Maar Jules durft er niet op te vertrouwen.

22

Kars en Edgar lopen al een tijdje langs de rivier als Kars blijft staan. 'Volgens mij is het loos alarm. Ik weet niet wat die man heeft gezien, maar geen wrakstuk van een boot.'

'Het was rood,' zegt Edgar.

'De mijter van Sinterklaas, nou goed.' Kars is blij dat Edgar weer lacht.

'Ik denk eigenlijk ook niet dat Brian hier is gaan varen. Moet je die stroming zien!'

'Straks belt hij ons zelf op.' Kars doet de stem van Brian na: 'Ik zat in de grot. Wat een mop, hè?'

'Een reuzemop. Wat een eikel,' zegt Edgar. 'Zullen we anders maar teruggaan? Ik wil die broer van me eigenlijk wel uit die grot zien komen.'

Net als ze zich willen omdraaien, komt er een groepje meiden aan. Ze grinniken als ze Kars en Edgar zien.

'Hallo,' zegt Kars. 'Hebben jullie soms een jongen in een rode kano gezien?'

De meiden beginnen nog harder te giechelen. Ze zeggen wat tegen elkaar in het Frans.

'Sorry,' zegt Kars en hij herhaalt zijn vraag in het Frans.

'Of zonder kano,' zegt Edgar. 'Hoe zeg je dat ook alweer?'

'Gewoon,' zegt een van de meisjes. 'Zonder kano.'

'Shit, jullie zijn helemaal niet Frans,' zegt Kars. 'Hebben jullie hem gezien?'

'We zien zoveel jongens,' lacht een van de meiden. 'Hoe ziet hij er dan uit?'

'Het is zijn broer,' zegt Kars. 'Donker dus.'

'Hij is bijna net zo knap als ik,' zegt Edgar. 'Ik heb wel een foto.' Hij haalt zijn portemonnee uit zijn zak en haalt er een foto uit. 'Dit is 'm.'

'Wauw... Wat een lekker ding!'

Jammer genoeg hebben de meiden hem niet gezien.

'Dreef er soms een stuk van een boot in het water?' vraagt Kars.

'Gatsie, doe niet zo eng, man,' zegt er een.

'Ja,' giechelt een ander. 'Zo meteen vraag je nog of we een arm zagen drijven, of een been.'

'Nee, een hoofd!' Ze beginnen te gillen.

Gierend van de lach lopen ze door.

'Daar ga ik niet achter lopen,' zegt Kars. 'Dan kunnen we beter nog een stuk verdergaan. Kom mee.'

'Wat een stelletje, ik hoor ze hier helemaal.'

'Die ene vond ik wel een lekker dingetje.'

'Mooie lange benen.' Kars weet precies wie Edgar bedoelt.

'Daar mag jij helemaal niet naar kijken.'

Als ze tien minuten hebben gelopen, zien ze een boot varen met een jongen erin.

'Moet je zien!' Edgar wijst geschrokken naar de boot.

'Wat nou?' vraagt Kars. 'Hij lijkt niet eens op Brian. Ben je soms aan het hallucineren?'

'Kijk dan in zijn boot, man...' Edgars stem slaat over.

Nu ziet Kars het ook. Er ligt iets roods in. Het lijkt op een wrakstuk.

'Hé!' Kars roept naar de jongen en wenkt dat hij naar de kant moet komen.

'Hoe kom je daaraan?' vraagt hij als de jongen vlak bij hen is.

'Dat dreef daar ergens.' De jongen wijst naar een rots in de verte.

'Mag ik het zien?' vraagt Kars.

De jongen houdt het op. 'Volgens mij is het een wrakstuk van een...'

Edgar wordt bleek en Kars kan geen woord uitbrengen. Ze kijken elkaar aan. Ze weten het alle twee. Het wrakstuk is van een van hun kano's. Kars en Edgar zijn zo in de war dat ze de jongen helemaal vergeten.

'Ik ga weer, hoor.' En hij vaart weg.

De jongen is al bijna uit het zicht, als Kars en Edgar ineens doorhebben dat hij weg is.

'Hé!' roepen ze. Ze hebben hem nog zoveel te vragen, maar hij hoort hen al niet meer.

Kars slaat een arm om zijn vriend heen. 'We gaan hem zoeken. Hij moet hier ergens zijn, toch? Hij loopt hier vast rond.'

Maar Edgar rukt zich los. 'Hou op!' schreeuwt hij. 'Misschien is hij wel verdronken.'

'Niet aan denken. Dat weten we nog niet, we weten nog niks.'

'O nee? En als hij nou in het water ligt, dan...'

'Dan...'

Maar Edgar laat hem niet uitpraten. 'Dan had die jongen hem zeker gezien, dat bedoel je toch? Kijk dan naar die stroomversnelling, man. Wat denk je dat er gebeurt als je daarin terechtkomt? Dan word je meegesleurd en dan verzuip je. Mijn broer...' Edgar trapt keihard tegen een boom. En dan slaat hij wanhopig met zijn hoofd tegen de boom. 'Shit, shit, shit!'

Nu grijpt Kars hem vast. 'Rustig blijven!' zegt hij streng. 'We gaan hem zoeken.'

'Het heeft geen zin.'

'Blijf jij hier maar zitten. Ik ga hem zoeken.' En Kars loopt door. Hij loopt vlak langs het pad dat de bergen in gaat.

'Brian!' roept hij. 'Brian, hoor je me?'

Edgar zit daar maar, terwijl Kars roept. Dan staat hij op en holt achter zijn vriend aan. Ze roepen en roepen. Als ze helemaal schor zijn, haalt Kars zijn mobiel uit zijn zak.

'Wat ga je doen?'

'Ze moeten het weten.'

'Niks ervan!' Edgar grist de mobiel uit Kars' handen. 'Wat denk je nou, man? Mijn moeder wordt gek. Ze mag het niet horen. In elk geval niet door de telefoon.'

'Ik bel niet naar je moeder, ik bel naar Ad. Hij moet de politie waarschuwen.'

'Wat nou?' schreeuwt Edgar. 'Dan hoort mijn moeder het toch ook?'

'Wat wil je nou?' Kars verliest zijn geduld. 'Ze moeten hem zoeken. Misschien ligt hij hier ergens en kunnen ze hem redden.'

Edgar knikt gelaten. Hij gaat een eindje verderop staan, zodat hij het gesprek niet hoort.

'Pap,' zegt Kars.

'En?' vraagt Ad. 'Hebben jullie iets gevonden?'

'Een wrakstuk van onze kano.'

'Wat? Weet je het zeker? Waar zijn jullie precies?'

Kars noemt de naam van de camping. 'Hij is in de stroomversnelling terechtgekomen...'

Maar Ad luistert niet meer. 'Blijf waar je bent,' zegt hij. 'We houden contact. Ik waarschuw meteen de politie.'

Jules heeft zoveel om over na te denken dat hij Brian even vergeten is. Half in gedachten rijdt hij het pad naar de camping op. Wat is het hier stil, denkt hij als hij langs de kantine komt. Er is altijd wel iemand van de crew binnen, maar dan weet hij het ineens weer: hij moet helemaal niet naar de camping, hij moet naar de grot!

Hij kijkt op zijn horloge. Als hij op tijd wil zijn, mag hij wel opschieten. Hij wil Brian naar buiten zien komen en hij racet over de weg.

Gelukkig, hij is niet te laat. De agenten staan nog met de honden voor de grot. Zo Brian, denkt hij. Nog even en je wordt verlost. Wat een avontuur, dat zal hij wel niet snel meer doen. Jules zet zijn fiets tegen de rots. Nona komt meteen naar hem toe.

'Ze hebben een stuk van de kano in de rivier gevonden.'

'Wat?' Jules schrikt al net zo erg als de anderen.

'Geen paniek,' zegt Ad. 'We weten niet eens of het wel van een van onze kano's is. Kars en Edgar hebben het gevonden. De politie wil elk risico uitsluiten, daarom zijn ze er naartoe. Maar we gaan er nog steeds van uit dat Brian hier in de grot zit.'

Ook al probeert Ad hen gerust te stellen, iedereen is bang. Jules kijkt naar de moeder van Brian. Het lijkt net of het allemaal langs haar heen gaat. Zo kent hij haar helemaal niet. Ze is verdoofd van de schrik. Jules kent dat gevoel wel. Dat gebeurt vaak als er iets heel ergs aan de hand is. Toen hij hoorde dat zijn moeder een dodelijk ongeluk had gehad was hij ook verlamd.

Wat staan we hier nou? denkt Jules. 'Waar wachten we nog op?' vraagt hij.

'Op mij,' zegt de archeoloog, die aan komt lopen. Hij heeft een speciaal pak aangetrokken en houdt een papier in zijn hand.

'Iedereen moet een beetje naar achteren,' roept Ad. 'Opdracht van de politie. De honden hebben wat meer ruimte nodig, anders worden ze onrustig.'

Een van de agenten geeft het teken dat ze gaan beginnen. Ze lopen met de honden naar de spleet in de rots. De honden blijven er blaffend voor staan. Maar zodra er één agent door is, volgen ze hem.

Jules denkt maar aan het bericht. Zou Brian in zijn wanhoop op een rots zijn gevaren? Wat verschrikkelijk.

'Hij is hier binnen,' zegt Isa als ze de bezorgde gezichten van haar vrienden ziet. 'Ik voel het gewoon.'

Ik wou dat het waar was, denkt Jules. Hij houdt het bijna niet uit. Hij wil erbij zijn. Hij moet weten of ze Brian vinden.

'Niet naar binnen,' zegt Ad als Jules aanstalten maakt om naar binnen te kruipen. 'De politie moet rustig zijn werk kunnen doen.'

Jules denkt aan Brian. Als hij echt een aanvaring heeft gehad, dan had hij de kano toch moeten zien toen hij langsvoer? Hij heeft overal gekeken, maar er was nergens een spoor van Brian te bekennen. Of zou Brian de andere kant op zijn gegaan? In paniek draait hij zich naar Ad.

'Waar hebben ze dat wrakstuk gevonden?'

'Een eind voorbij de camping.'

'Maar daar begint de stroomversnelling...'

'Wacht even. Ja, hallo.' Ad neemt zijn mobiel. 'Goed, ik zal het zeggen. Jules, de politie wil dat je de grot in gaat.' Hij heeft het nog niet gezegd of Jules wringt zich al door de spleet. Hij heeft zich nog nooit zo snel in het donker verplaatst. Een paar minuten later is hij al bij de doorgang. Een van de agenten houdt de wacht bij het gat. Hij praat door een walkietalkie met een agent die in een van de gangen is. Als ze maar met

Brian naar buiten komen... Het is doodstil in de grot. De spanning is om te snijden. Jules vraagt zich af hoelang hij hier al staat. Een kwartier? Een half uur misschien? Zo groot kan het toch niet zijn. Waarom komen ze niet?

'En?' vraagt Jules als de agent eindelijk met de honden naar buiten komt.

'Geen spoor,' zegt hij. 'De jongen zit absoluut niet in de grot. Is dit de enige doorgang die jullie hebben ontdekt? Zit er nergens anders een gat?'

'Zover ik weet niet,' zegt Jules.

Nu komt de archeoloog er ook aan. 'Jammer genoeg hebben we de jongen niet gevonden,' zegt hij. 'Maar door jullie heb ik wel een heel bijzondere ontdekking gedaan. Hieronder loopt nog een heel gangenstelsel.'

Maar het enige waar Jules aan kan denken is het wrakstuk dat in de rivier is gevonden. Zou het dan toch van Brians boot zijn?

'Ik wil dat jij de archeoloog nog even precies laat zien waar jullie altijd kwamen,' zegt de agent tegen Jules. 'Wellicht ontdekken we nog een doorgang.'

'Vroeger zaten we altijd in dit gedeelte van de grot,' zegt Jules. 'Dat heb ik ooit ontdekt. Maar later zagen we dat er nog een ruimte achter zit en toen gingen we daar altijd naartoe.' Hij gaat de archeoloog voor. 'Hier waren we meestal.'

De archeoloog schijnt in het rond. 'Hé, wat is dat?' Hij schijnt op de muurschildering.

'Die is nep,' zegt Jules. 'Toen Brian 'm had ontdekt zijn we naar het museum geweest. U was met vakantie. Er ging een stagiair mee en die zei dat het geen waarde had.'

De archeoloog loopt er naartoe. Vlak voor de muurschildering blijft hij staan. Hij strijkt langs de verf. Jules denkt alleen maar aan Brian. Als ze straks klaar zijn, gaat hij meteen naar de rivier. Hij moet weten waar ze het wrakstuk hebben gevonden.

Ondertussen hoort hij de archeoloog mompelen. 'Heel bijzonder,' zegt de man. 'Mijn stagiair moet nog veel leren. Dit is iets heel bijzonders.'

Het dringt niet eens tot Jules door wat de woorden betekenen.

'Die vriend van jou heeft een heel belangrijke ontdekking gedaan.'

'Eh... wat zegt u?' Jules kijkt verward op.

'Een heel belangrijke ontdekking,' herhaalt de archeoloog. 'Daar zul je wel meer van horen.'

Anders was Jules meteen op zijn vrienden af gestormd. 'Hebben jullie het gehoord? De muurschildering is echt. Timboektoe wordt beroemd!' Maar nu kan het hem niks schelen. Wat maakt het allemaal nog uit als Brian is verongelukt?

Kars en Edgar lopen het strandje bij de camping op. Hun kano's liggen er gelukkig nog.

'Nou ja, dan maar weer wachten.' Edgar gaat op een rots zitten. Maar nog geen minuut later springt hij alweer op. 'Jij met je politie. Waar blijven die gasten nou? We hadden veel beter door kunnen lopen. We zitten hier onze tijd te verdoen.'

'Ze komen zo. Het is echt het beste dat de politie Brian opspoort.'

'Dat denk jij. En hoelang gaat dit nog duren? Het is wel mijn broer, hoor. Zo meteen ligt hij gewond in de rivier. Ik had 'm allang kunnen redden als we waren doorgelopen.'

Kars geeft geen antwoord. Ze zijn allebei gestresst en hebben zo ruzie. Daar heeft hij helemaal geen zin in.

Hij kijkt naar Edgar, die over het strandje ijsbeert. Ineens draait die zich om naar Kars. 'Weet je wat jij doet?' zegt hij. 'Jij blijft hier maar lekker zitten wachten op de politie die nooit komt. Ik ga verder.'

'Ook goed. Je blijft wel aan deze kant van de rivier, hè? Dan komen we je vanzelf tegen. Staat je mobiel aan?'

Edgar kijkt voor de zekerheid. Hij wil net weglopen, als ze een auto horen aankomen.

'Daar zijn ze!' Kars gaat midden op de weg staan en zwaait naar de politieauto, die hun kant op rijdt.

Er stappen twee agenten uit. Kars geeft hun een hand. 'Dit is Edgar,' zegt hij. 'Het is zijn broer die vermist wordt.'

'Waar hebben jullie dat wrakstuk gezien?'

'Een jongen heeft het een eind verderop gevonden.'

De agenten kijken elkaar aan. 'Laten we de auto hier staan?' vraagt de een.

'Het zal wel moeten,' zegt de ander. 'De weg houdt daar op.'

'Het is nog wel een eindje lopen,' zegt Edgar. Hij heeft geen geduld meer en vertrekt. Kars gaat met hem mee.

'Zie je dat?' horen ze de agenten achter hen zeggen.

'Ja, een lekker stroompje, daar moet je niet in terechtkomen.'

Kars verbijt zich. Waarom zeggen ze dat nou? Zo fokken ze Edgar alleen maar op.

'Het kan best dat de stroom de wrakstukken heeft meegenomen,' zegt Kars als ze na drie kwartier nog niks hebben gevonden.

Hij heeft de woorden nog niet uitgesproken of Edgar geeft een gil. Met een trillende vinger wijst hij naar een rots die boven het water uitsteekt. Er hangt een stuk witte stof aan met hiërogliefen erop. 'Dat is van Brian,' zegt hij. Paniekerig kijkt hij Kars aan. 'Dat is het T-shirt van Brian.'

Kars herkent het ook.

'Weet je het zeker?' vraagt een agent. Maar Edgar weet niks meer. Het wordt wazig voor zijn ogen.

'Brian...' stamelt hij.

Kars ziet ook spierwit.

Een van de agenten pakt Edgar vast. 'Kijk goed. Weet je zeker dat het van je broer is?'

Edgar knikt verward. De agenten komen meteen in actie. Kars hoort iets over een helikopter. Edgar kijkt maar naar het water. En dan grijpt hij Kars vast en schudt hem heen en weer. 'Mijn broer is verzopen!' roept hij. 'Mijn broer is verzopen!'

Edgar zit op een rots aan de waterkant. Hij ziet er wanhopig uit.

'Wil je dat we teruggaan naar Timboektoe?' vraagt Kars. Als Edgar geen antwoord geeft, legt hij zijn hand op de schouder van zijn vriend. 'Hé, is het niet beter dat we teruggaan?'

Edgar haalt zijn schouders op. 'Wat moet ik op de camping? Zien hoe kapot mijn moeder is als ze dit hoort?'

'Je kunt hier ook niet blijven zitten.'

'Hoezo niet? Ik maak zelf wel uit wat ik doe. Mijn broer, man... Hij is hartstikke dood!' Edgar haalt zijn mobiel uit zijn zak.

'Wie ga je bellen?' vraagt Kars verschrikt. 'Toch niet je moeder?'

'Nee,' zegt Edgar. 'Mijn vader. Mijn vader moet het weten.'

'Wacht nou nog even. Er komt een helikopter. Zo meteen vinden ze Brian.'

'Aangespoeld zeker. Hij is dood, man. Brian is hartstikke dood. Dat moet mijn pa toch weten? Hij zit helemaal in Suriname, hij moet hierheen komen, hij moet ons helpen.'

Kars kijkt naar Edgar, die zijn mobiel toch maar weer wegstopt. Kon hij hem maar helpen. Maar alles wat hij zegt, klinkt even stom. Edgar heeft toch gelijk? Hij gelooft zelf ook niet meer dat Brian levend uit het water komt. Hij kijkt naar de twee agenten, die een eindje verderop een sigaretje staan te roken. Kars kan het niet aanzien. Wat staan jullie daar nou? wil hij roepen. Maak die stomme sigaret uit. Maar hij weet zelf ook wel dat het onredelijk is.

De agenten kunnen er niks aan doen dat Brian in een stroomversnelling is terechtgekomen. Hoe kon hij zo dom zijn? Kars snapt er nog steeds niks van. Oké, dan had hij ruzie met Jules. Maar hij had zijn hersens toch nog wel bij elkaar? Of zouden ze teveel hebben gedronken? Dat kan het zijn, denkt Kars. Ze zijn vast dronken geworden en toen kregen ze misschien ruzie en toen...

'Denk jij dat ook?' vraagt hij aan Edgar. 'Denk jij ook dat Jules en Brian dronken waren en dat Brian daardoor in de stroomversnelling terechtgekomen is?'

'Jules drinkt niet, weet je nog,' zegt Edgar. 'En ik zie mijn broer er echt niet voor aan dat hij in zijn eentje een fles whisky leegdrinkt.'

Kars knikt. Edgar heeft gelijk. Dat is niks voor Brian. Maar hoe heeft het dan kunnen gebeuren? Het maalt maar door zijn hoofd.

'De helikopter!' De agenten maken hun sigaret uit. Ze kijken naar boven. Een van hen houdt zijn mobiel aan zijn oor. Kars en Edgar kijken vol spanning naar de helikopter, die vlak boven hen vliegt. Er komt een touwladder uit rollen en daarna klimt er een agent naar beneden. Kars heeft het gevoel alsof hij in een film is terechtgekomen. De agenten praten met elkaar. Dan komt de man uit de helikopter naar hen toe.

'Het is het beste als jullie meevliegen. Vanuit de lucht gaan we de jongen zoeken en jullie kennen hem goed.'

Edgar staat al bij de touwladder. Nu gebeurt er tenminste iets. Het is net of hij weer hoop krijgt. Terwijl de twee agenten terug naar hun auto lopen, klimmen Kars en Edgar naar boven. De piloot knikt hen toe. Als ze alle drie binnen zijn, halen ze de touwladder in en stijgen ze op. Kars heeft de omgeving nog nooit vanuit de lucht gezien. Wat zou hij er anders van hebben genoten. Maar nu kijkt hij angstig omlaag, net als Edgar. Stel je voor dat ze straks het lichaam van Brian in de rivier zien drijven...

De helikopter cirkelt boven de berg. Ademloos turen ze in het groen. Elke keer als ze denken iets te zien staat hun hart stil, maar dan blijkt het iets anders te zijn. Ze speuren de hele berg af en dan vliegen ze boven de andere kant van de rivier terug. Waarom zien ze Brian niet? Edgar wordt bang. Stel je voor dat ze hem niet vinden, dat ze nooit meer iets van Brian terugvinden. Hij verliest bijna de moed als de helikopter ineens omlaag duikt. Edgar grijpt Kars bij zijn schouder. Half in het water ligt een jongen. Er is geen enkele twijfel: dat is Brian!

Het gaat allemaal pijlsnel. Terwijl de touwladder wordt uitgegooid, cirkelt de helikopter boven de plek. Edgar klimt als eerste naar beneden. Hij moet weten of zijn broer nog leeft. Hij heeft geen geduld en laat zich het laatste stukje vallen. Edgar kijkt naar Brian, naar zijn kletsnatte onderlichaam. De rest van zijn lijf ligt roerloos op de kant.

'Je bent dood,' roept Edgar. En dan laat hij zich in paniek op de grond vallen, met zijn gezicht in het zand. 'Mijn broer is dood!'

Hij is zo in de war dat hij zijn naam niet hoort roepen. Maar de agent die na Edgar is afgedaald en nu naast Brian zit, hoort het wel. Hij trekt Edgar omhoog. ‘Kijk dan naar je broer!’ zegt hij.

‘Edgar!’ Brian komt overeind en strekt zijn armen naar zijn broer uit.

Edgar rent naar hem toe. ‘Klootzak, je leeft nog!’ Hij drukt Brian dicht tegen zich aan.

En dan moeten ze alle twee huilen.

23

Er hangt een sombere stemming bij de grot. Jules heeft hun verteld dat ze Brian niet gevonden hebben. Ze willen net terug naar de camping gaan als de Timboektoe-tune over het veld schalt.

'Jongens, Brian is gevonden!' roept Ad.

Er gaat een luid gejuich op. Brians moeder kan het bijna niet geloven. 'Hier heb je je moeder.' Ad geeft haar de mobiel.

'Is het echt waar, jongen?' vraagt ze.

'Ik geef hem wel even,' zegt Edgar.

'Ha mam...' Meer kan Brian niet zeggen. Edgar neemt de telefoon over. 'Hij is te zwak, mam. We vliegen hem naar het ziekenhuis.'

'Het ziekenhuis?' roept zijn moeder.

'Je hoeft niet te schrikken,' zegt Edgar. 'Waarschijnlijk heeft hij alleen een hersenschudding, maar dat weten we niet zeker.'

'Naar welk ziekenhuis wordt hij gebracht?'

Edgar geeft de gegevens aan zijn moeder door.

'Ik kom meteen naar jullie toe.' Zijn moeder geeft de mobiel terug aan Ad en wil vertrekken.

'Jij gaat nu niet rijden,' zegt de moeder van Isa en Kars. 'Je bent veel te veel in de war. Dan gebeuren er nog meer ongelukken. Ik breng je wel.'

Iedereen is opgelucht dat Brian terecht is. Langzaam dringt het goede nieuws tot Jules door. Nu voelt hij pas hoe gespannen hij is geweest.

'Fijn, hè?' Nona komt naast hem staan. 'Ik hoop zo dat hij meteen naar huis mag.'

Terwijl Nona vertelt hoe blij ze is, kijkt Jules naar de archeoloog, die met Ad staat te praten. En dan dringt het opeens tot hem door. De muurschildering is echt!

'Hé jongens!' roept hij. 'We hebben nog iets te vieren, maar daar wachten we even mee tot Brian er weer is.'

'Ik weet het al,' zegt Romeo. 'Dachten jullie soms dat jullie dat konden verbergen? De verkering is weer aan.'

'Ja,' zegt Stef. 'Dat hadden we allang gedacht, maar toch gefeliciteerd. En wanneer gaan we ons verloven?'

Waarom moeten die twee dat nou zeggen? Jules kijkt naar Nona. Ze slaat haar ogen neer.

'Ja, heel leuk weer, jongens,' zegt Isa. 'Maar ik geloof niet dat het zo is.' Ze slaat een arm om Nona heen.

'Dus behalve dat Brian is gevonden, is er niks te vieren?' vraagt Stef.

'Jawel,' zegt Jules. 'De muurschildering die Brian heeft ontdekt, is wel echt. Dat heeft de archeoloog net verteld. Die stagiair had zich vergist.'

Ad komt erbij staan. 'Er is nog meer nieuws. De archeoloog heeft een gangenstelsel ontdekt.'

'Ja, dat wisten we al,' zegt Isa.

'Maar jullie weten niet waar het uitkomt.'

'Hoezo? Wat bedoel je?' vragen ze.

'Bij ons op de camping,' zegt Ad.

'Nee, je maakt een grapje,' zegt Isa. 'Dan stond jij hier niet zo.'

'Het is echt waar,' zegt Ad. 'We denken ergens achter het tweede veld, daar in de bosjes, maar dat moet nog worden uitgezocht.'

'En dat vertel je zomaar,' roept Isa. 'Ben je gek of zo? Dat is toch fantastisch nieuws, pa. Dringt het soms niet tot je door?

Wie heeft er nou een grot bij zijn camping? We worden beroemd.'

'Wereldberoemd,' roepen de anderen. Ze beginnen te juichen.

'Wat sta je daar nou?' vraagt Isa. 'Ben je niet blij dan, pa?'

'Het is nog allemaal heel ingewikkeld,' zegt Ad. 'Zo'n grot is niet meteen volgende week opengesteld voor het publiek, dat duurt lang. We hebben zo'n leegloop, ik weet eerlijk gezegd niet of wij dat nog meemaken.'

'Dat zou toch verschrikkelijk zijn,' zegt Isa. 'Het kan een goudmijn worden.'

'Ja meis,' zegt Ad, 'ik weet het. Daarom is het ook zo erg wat er is gebeurd. Door al die praatjes komt er op het moment veel te weinig geld binnen. Onze rekening slinkt met de dag. Maar laten we het daar nu niet over hebben. Brian is terug, dat is het allerbelangrijkste.' En Ad loopt weg.

De doktoren hebben Brian onderzocht. Hij heeft een zware hersenschudding. Voorlopig moet hij rust houden, maar daarvoor hoeft hij niet in het ziekenhuis te blijven. Dat kan ook op de camping. Ze doen nog een paar routineonderzoekjes en daarna mag Brian naar huis. Zijn moeder en Edgar zullen met de ambulance meerijden.

'Dan rijd ik nu alvast met jou terug,' zegt Kars tegen zijn moeder. Hij vindt het wel fijn. Het zal nog wel even duren voordat alle uitslagen binnen zijn en Brian weg mag. Daar hoeft hij dan niet op te wachten.

Als Kars een half uur later de kantine in stapt, begint de hele crew te juichen.

'Hé reddingswerker! Hoe was het?' roept Stef.

'Wat een bofkont ben jij,' pest Romeo. 'Lekker een vliegtochtje, helemaal gratis!'

'Ja, ik heb er echt van genoten,' zegt Kars. 'Ik raad het iedereen aan. Echt vakantie, hoor. Ik kan er weer helemaal tegen. Wat een stress.' Nu alles achter de rug is, voelt hij pas hoe zwaar het was.

'Ah, broertje, dat heb je knap gedaan, hoor.' Isa slaat een arm om hem heen. 'En nou hebben we nog iets spannend voor je.'

'Nee hè?' kreunt Kars. 'Er is toch niet weer iemand vermist?'

'Het is goed nieuws,' zegt Isa. 'De muurschildering is wel echt.'

Kars veert meteen op. 'Meen je dat?'

'En dat is nog niet alles,' zegt Isa. 'Het grottenstelsel komt op onze camping uit.'

'Het is niet waar!' roept Kars. 'Wat zitten jullie hier? Waar is de champagne?'

'Volgens pa kunnen we het niet zo lang uitzingen,' zegt Isa.

Kars kijkt zijn vrienden aan. 'En dat allemaal door die walgelijke roddels? Wie heeft ons dit geflikt? Als ik die in mijn handen krijg... We moeten het uitzoeken, jongens. Terugvechten moeten we. Dat mijn pa nou helemaal burned out is, maar wij hebben toch nog wel pit in onze reet. We laten het er niet bij zitten.'

'Dat vind ik ook,' zegt Romeo. 'Deze kans laten we niet voorbijgaan.'

'Niet te geloven,' zegt Kars. 'Dus het grottenstelsel komt hier uit, op Timboektoe. Waar?'

'Ergens in de bosjes bij het tweede veldje,' zegt Isa.

Kars staat meteen op en holt naar de deur.

'Wat ga je doen?' vragen ze.

'Kijken natuurlijk. Ik moet die plek zien.'

'Er valt helemaal niks te zien,' zegt Isa.

'Nee,' zegt Romeo. 'Pas als ze gaan graven, weten we precies waar het is.'

'Toch moet ik het zien,' zegt Kars en hij loopt naar buiten.

'Ik lijk wel gek!' zegt Valerie chagrijnig als ze haar scooter van het slot haalt. 'Zij we de hele dag naar de stad geweest, moeten we nu nog naar die camping.'

'Je wilt toch naar Amerika,' zegt Anouk. 'Dan moeten we nu die mobiel hebben, anders gaan al onze gasten weer terug naar die vuilnisbelt.'

'Als dat ding er nog ligt. Wedden dat iemand 'm heeft gevonden?'

'Wie komt er nou in die bosjes? Een hond misschien, maar die gaat echt niet bellen.'

'Ooit gehoord van kinderen die verstoppertje spelen?' zegt Valerie en ze rijdt haar scooter naar buiten.

'Welke kinderen bedoel je? Die hele camping is leeggelopen.'

Nu moeten ze alle twee lachen.

'Oké, dan gaan we.' Valerie start haar scooter.

Anouk zet haar helm op en gaat achterop zitten. Dan scheuren ze weg.

'En?' vragen ze als Kars even later de kantine in komt. 'Het was zeker wel interessant?'

'Hij wil zelf gaan graven,' zegt Stef. 'Vooruit maar, dan mag je mijn schepje wel even lenen.'

'Wat heb je daar nou?' Annabel kijkt naar de mobiel in Kars' handen.

'Dat ding lag daar in de bosjes. Die heeft iemand verloren.'

'Wat zou ik balen als ik mijn mobiel kwijt was,' zegt Isa. 'En we kunnen hem ook niet teruggeven, want je kunt nergens aan zien van wie hij is.'

'Als die gast die 'm heeft verloren slim is, dan gaat hij steeds bellen,' zegt Justin.

'Misschien heeft hij dat al gedaan,' zegt Kars. 'Ik weet niet hoelang dat ding er al ligt.'

'Geef eens!' Romeo pakt de mobiel. 'Je kunt wél zien wie het laatst is gebeld. Als je het aan die persoon vraagt, weet hij misschien van wie hij is.'

Stef trekt hem uit Romeo's handen. 'Ik heb je wel door, jij wilt onze ringtone erop zetten.'

'Helemaal niet,' zegt Romeo. 'Ik bekijk alleen het laatste nummer. Ja, ik heb het. Zal ik het intikken?'

'Probeer maar,' zegt Kars.

Romeo staat op en gaat een eindje verderop staan. 'Als het een heel lieve stem is, ga ik wel even naar haar toe.' Hij tikt het nummer in en houdt de mobiel tegen zijn oor.

'Wat denk je?' zegt hij als hij indrukt. 'De voicemail van Marco. Iemand van de camping heeft Marco gebeld.'

'Staan er niet nog meer nummers in?' vraagt Isa.

'Ik blijf niet aan de gang.' Romeo geeft de mobiel aan Kars.

'Inderdaad, nog een.' Kars tikt het in. 'Haha, nou weer de voicemail van Linda.'

'Wanneer zijn ze gebeld?' vraagt Isa.

'Weet ik veel,' zegt Kars.

'Dat kun je zien, man. Hier staat het.' Romeo noemt de datum.

'Hé,' zegt Stef. 'Dat is de dag na ons feest. Dat is maf. Toen begon dat gedoe over die drugs, toch?'

'Ja,' zegt Isa, 'en die sms'jes naar Marco en Linda. En daarna dat anonieme telefoontje. Weet je nog? Dat de verbinding werd verbroken toen hun ouders opnamen?'

'Wacht eens even, jongens,' zegt Romeo. 'Ik zie hier dat ze vlak na elkaar zijn gebeld.'

'Het wordt nu wel heel verdacht,' zegt Kars. 'Die mobiel kan nog wel eens heel belangrijk zijn. Als we erachter komen van wie die is, dan weten we ook wie ons dit heeft geflikt.'

'Nou nou, broertje,' zegt Isa. 'Dat is wel weer erg kort door de bocht.'

'Ja,' zegt Annabel. 'Die conclusie kun je niet zomaar trekken.'

'Ik meld dit in elk geval bij pa,' zegt Kars.

Hij wil het kantoor van zijn vader in gaan als hij Anouk en Valerie op de camping ziet lopen. Wat komen die nou doen? Kars kijkt waar ze heen gaan. Hij ziet dat ze regelrecht naar de plek lopen waar hij net de mobiel heeft gevonden. Doe niet zo raar, zegt hij tegen zichzelf. Nou ga je iedereen en alles verdenken. Hij wil zich omdraaien, maar dan ziet hij dat ze de bosjes in gaan. Dat kan geen toeval zijn...

Kars loopt naar hen toe. 'Zoeken jullie iets?' vraagt hij.

Hij ziet dat ze schrikken. 'Eh... ja, eh...' zegt Valerie. 'Anouk is haar horloge kwijt en we dachten dat het misschien hier lag.'

'Een heel mooi klokje,' zegt haar zus. 'Nog van mijn oma gekregen. Ik ben er erg aan gehecht, zie je.' Kars wil hun de mobiel voorhouden en vragen of ze die soms bedoelen, maar hij doet het niet. Stel je voor dat het echt hun mobiel is, dan is hij zijn bewijs kwijt.

'Succes dan maar.' En hij gaat meteen terug naar zijn vrienden.

'Wat heb jij?' vraagt Romeo. 'Je ziet knalrood, man.'

'De overgang, nou goed,' zegt Kars. 'Ik kom net Anouk en Valerie tegen. Ze zoeken zogenaamd hun horloge. Wel toevallig, precies op de plek van de mobiel.'

'Zouden zij...'

'Dat gaan we morgen uitzoeken,' zegt Kars.

Brian ligt op een brancard bij de eerste hulp. Zijn moeder en Edgar zitten naast hem op een kruk. Alle onderzoeken zijn voorbij. Ze moeten wachten op de uitslag.

'Laten we hopen dat je naar huis mag, jochie,' zegt zijn moeder.

Brian geeft geen antwoord. Wat moet hij op de camping? Jules heeft het vast aan iedereen verteld. Het verbaast hem dat zijn moeder en Edgar nergens over beginnen. Maar dat komt vast omdat de dokter gezegd heeft dat hij zich niet mag opwinden en zich vooral rustig moet houden. Hij kijkt naar zijn moeder. Ze wriemelt zenuwachtig met haar vingers. Het herinnert Brian aan de periode van de scheiding, toen deed zijn moeder dat ook. Maar nu klopt het niet. Ze zou juist blij moeten zijn dat ze hem hebben gevonden. Hij weet wel waar haar onrust vandaan komt. Ze is geschrokken omdat hij homo is. Zijn moeder is zich doodgeschrokken. Net als Edgar. Zijn broer zit stilletjes naast hem. Edgar is nooit zo rustig. Die zit ook ineens opgescheept met een broer die homo is.

Brian hoopt stiekem dat hij nog een poosje in het ziekenhuis moet blijven. Het liefs tot het eind van de vakantie. Dan hoeft hij niemand van de crew meer onder ogen te komen. Voor zijn vrienden op school is hij niet bang. Niemand hoeft te weten dat hij op jongens valt. Hij doet wel mee, hoor, met hun praatjes over meiden. En zijn broer zal hem zeker niet verraden. Die schaamt zich dood. Brian vindt het ook rot voor Edgar. Hij legt zijn hand op zijn broers arm.

'Ik schrik me dood.' Edgar trekt zijn arm weg. 'Ik zat weer met mijn kop in die helikopter. Wat een nachtmerrie.'

Je zat helemaal niet met je hoofd in de helikopter, denkt Brian. Je wilt niet meer dat ik je aanraak, omdat ik een flikker ben. Je bent vies van me. Brian voelt zich verdrietig. Zo zal het met al zijn vrienden gaan. Kars, Justin, Romeo en Stef, ze zullen allemaal vies van hem zijn. Aan Jules durft hij niet eens te denken. Alles is veranderd. Hij denkt aan de stoeipartijen die hij altijd met Edgar had. Wat een lol hadden ze dan. Dat is allemaal voorbij. Edgar zal nooit willen dat hij hem nog aanraakt. Als hij hier al van schrikt. Nu verzint hij nog een smoes, omdat hij weet dat Brian zwak is. Maar later zal hij kwaad worden. 'Blijf van me af, vuile flikker!' zal hij dan roepen.

'Als ze maar niks ernstigs vinden,' zegt zijn moeder. 'Het is mijn schuld. Ik had je nooit mogen laten gaan.'

'Alsof jij kon weten wat er zou gebeuren,' zegt Edgar.

'Jij dacht: leuk, twee vrienden gaan een paar nachtjes kamperen. Je kon toch niet weten dat...'

'Hou er maar over op,' zegt zijn moeder. 'Het gaat er niet om wat er is gebeurd.'

Zie je wel, denkt Brian, ze weten het. Maar ze zeggen niks. Misschien vindt hij dat nog wel het ergste: dat het wordt verzwegen. Zal hij er zelf over beginnen? Hij grijpt naar zijn hoofd. Het doet zo'n pijn! Ineens wordt hij ook weer heel moe. Hij voelt dat zijn ogen dichtvallen. En dan schrikt hij op van de deur die opengaat. De dokter komt binnen. 'Neemt u hem maar mee,' zegt hij. 'Behalve de hersenschudding en de hoofdwond is hij helemaal in orde.'

'Gefeliciteerd!' Zijn moeder geeft Brian een kus.

Zeker gefeliciteerd, denkt Brian. Nou gaat de ellende pas echt beginnen.

24

De volgende morgen maakt zijn moeder Brian wakker. Hij heeft op een stretcher in de voortent geslapen.

'Jochie, gaat het? Er is bezoek voor je. Denk je dat je dat aankunt?'

Brian doet zijn ogen open en ziet Jules staan.

'Hoi,' zegt Jules zachtjes en hij loopt voorzichtig naar Brian toe.

'Ik laat jullie wel even alleen,' zegt zijn moeder.

'Gaat het?' vraagt Jules.

Brian knikt zwak.

'Als je wilt dat ik wegga, moet je het zeggen, hoor.'

'Nee,' zegt Brian zachtjes.

'Ik vind het zo rot voor je wat er is gebeurd. Dat wou ik even zeggen. En dat het me spijt dat ik zo stom reageerde. Als ik niet zo belachelijk had gedaan, dan, eh, dan had jij hier niet gelegen. Gaat het wel?' Hij ziet dat Brian over zijn hoofd wrijft. 'Zal ik je maar alleen laten?'

'Nee,' zegt Brian. 'Ik dacht alleen...'

'Wat dacht je?'

'Dat ik je nooit meer zou zien.'

Jules ziet dat het Brian moeite kost om te praten.

Hij gaat op zijn hurken naast hem zitten. Een tijdje blijft het stil. Jules wacht tot Brian weer wat meer kracht heeft en dan gaat hij verder.

'Hé, je bent mijn vriend. Dat wou ik even zeggen. En dat blijft altijd zo.' Hij houdt Brian bij zijn schouder vast. 'We laten onze vriendschap hier niet door verpesten, hoor.'

Brian wijst naar het glas water dat naast hem staat.

Jules houdt het voor hem zodat Brian bij het rietje kan. Langzaam drinkt hij een paar slokjes. Als hij weer ligt, kijkt hij Jules aan. 'En eh... de anderen?'

Jules buigt zich dichter naar hem toe. 'Welke anderen?' vraagt hij zachtjes.

'Wat zeiden ze ervan?'

'Niemand weet het. Zoiets ga ik toch niet doorvertellen. Alleen Nona weet het. En zij denkt er net zo over als ik. Het gaat ons er niet om of je op jongens of op meiden valt, Brian. Jij bent onze vriend, dat is het enige wat belangrijk is. Ik weet zeker dat de rest van de crew er ook zo over denkt. Moet je zien hoe populair Kylian is. En als je zo ver bent dat je het wilt vertellen en ze doen wel vervelend, dan komen Nona en ik voor je op.' Jules steekt twee vingers omhoog.

'Dank je.' Brian legt zijn hand op Jules' arm. Hij schrikt er zelf van. 'Sorry,' zegt hij en hij trekt zijn hand snel terug.

'Niks sorry.' Jules duwt zachtjes zijn vuist tegen Brians arm. Hij ziet dat Brian nu wel erg moe wordt. Hij moet het snel vertellen, voordat zijn vriend in slaap valt.

'Ik heb nog goed nieuws,' zegt hij. 'Het gaat over de muurschildering,' zegt Jules.

Brian knijpt zijn ogen dicht. Hij wil liever niet meer over de muurschildering praten.

'De archeoloog heeft 'm bekeken. Hij is wél echt!' Jules kijkt naar Brian. 'Hoor je dat? Hij is wél echt.'

En dan komt er een glimlach om Brians mond.

Terwijl Jules bij Brian zit, fietst de rest van de crew camping Paradiso op. Voor de kantine zetten ze hun fiets neer. Marco en zijn vrienden komen net naar buiten.

'Hé, gaaf dat jullie ons komen opvrolijken. Het is hier zo saai.'

'We komen voor jullie ouders,' zegt Kars.

'Nou, veel plezier. Jullie willen ze zeker overhalen terug naar Timboektoe te gaan? Ik wens je veel succes.' Marco en Linda lopen voor hen uit naar het veldje.

De twee families zitten voor de tenten thee te drinken.

Marco's vader vindt het leuk om de jongens te zien. 'Wat brengt jullie hierheen, mannen?'

'We denken dat we weten wie de roddels over Timboektoe heeft verspreid,' zegt Kars.

'Waren het maar roddels, jongen,' zegt Linda's moeder.

'Weet u al wie de sms'jes heeft gestuurd?' vraagt Kars.

'Nee,' zegt Linda's vader.

'Jammer genoeg niet,' zegt Marco's moeder.

'Ik waarschijnlijk wel,' zegt Kars. 'Ze komen van deze mobiel.' En hij laat de nummers zien. 'Ziet u, het klopt precies. De dag en de tijd en de nummers van Marco en Linda.'

'Dus jullie hebben die dealer gevonden?' zegt Marco's vader.

'Is dat niet meer een zaak voor de politie?' vraagt Linda's moeder.

'Ja,' zegt Jaap. 'Passen jullie wel op? Dat is tuig, hoor. Hoe komen jullie aan die mobiel?'

'Die lag op onze camping,' zegt Kars. 'Ergens in de bosjes. Daar vandaan zijn Linda en Marco gebeld.'

'Dat kan helemaal niet,' zegt Marco. 'Wij kennen niemand die drugs gebruikt. We hebben het al honderd keer gezegd. Beginnen jullie nu ook al?'

'Jullie kennen misschien niemand die drugs gebruikt,' zegt Kars. 'Maar wel twee personen die onze campinggasten willen inpikken.'

'Waar heb je het over?' vraagt Marco's vader. 'Nou maak je het wel heel ingewikkeld.'

'Op precies dezelfde plek waar ik deze mobiel vond, liepen Anouk en Valerie gisteren te zoeken,' zegt Kars. 'Ze waren zogenaamd hun horloge kwijt, maar daar geloof ik dus niks van.'

'Je bedoelt dat Anouk en Valerie dit op hun geweten hebben?' Iedereen is er stil van. Alleen Linda wordt razend. 'Dus daarom wilden ze vrienden met ons worden...!'

'Stil,' zegt Marco's vader. 'Je mag ze niet zomaar verdenken. Er is nog niks bewezen. Niemand weet of die mobiel van hen is. En eerlijk gezegd twijfel ik eraan of het waar is. Het zijn zulke aardige meisjes.'

'Dat gaan we nu uitzoeken,' zegt Kars. 'Ik wilde vragen of jullie met ons meegaan. Ik ga namelijk aan hun ouders vragen of ze de mobiel herkennen.'

'Daar wil ik wel bij zijn,' zegt Jaap. De ouders van Marco gaan ook mee.

Met zijn allen lopen ze het kantoor in.

Kars legt de mobiel op de balie. 'Dit projectiel heb ik gevonden,' zegt hij. 'Weet u misschien of iemand zijn mobiel kwijt is?'

De vader van Anouk en Valerie ziet het meteen. 'Die moet van een van mijn dochters zijn,' zegt hij. 'Ze hebben er alle twee een van hun oma gekregen.' Hij kijkt op en ziet dat Anouk en Valerie net aan komen lopen.

'Meiden,' roept hij. 'Jullie moeten beter op je spullen passen. Kars is zo eerlijk om 'm terug te geven, maar anders was je 'm kwijt geweest.'

Anouk en Valerie worden knalrood.

'Bedankt,' zegt Anouk.

'Nee, hoor,' zegt Kars. 'Ik wil jou bedanken, voor de sms'jes die je naar Marco en Linda hebt gestuurd.'

Anouk en Valerie kunnen er niet meer omheen. Het is voor iedereen duidelijk dat zij de daders zijn.

'Ik weet niet wat ik moet zeggen,' zegt de vader van Marco.

'Nou, ik wel, hoor,' zegt Linda's moeder. 'Allemaal wegwezen hier en terug naar Timboektoe.'

'Mag ik weten wat er aan de hand is?' De vader van de tweeling snapt er echt niks van.

'Dat leggen je dochters maar uit,' zegt Marco's vader.

'Zo is dat,' zegt Els. 'Wij vertrekken.'

Ze raken er niet over uitgepraat.

'Die meiden zijn behoorlijk crimineel,' zegt Romeo als ze terug naar de camping fietsen. 'Met hun gluiperige gedoe hebben ze het toch maar voor elkaar gekregen. Dat snap je toch niet? Bijna alle campinggasten waren verkast. Iedereen is erin getrapt.'

'En wij wilden ze nog wel versieren,' zegt Stef. 'Weet je nog, op het feest? Stel je voor dat we met die krengen hadden gezoend.'

'Gatver!' roept Romeo.

Justin en Edgar vallen hen bij. 'Daar moet je toch niet aan denken.'

Alleen Kars houdt zijn mond. Hij denkt aan de kus in CU. Als Annabel er niet was geweest, had hij misschien wel verkering met Anouk genomen. Dan waren ze er nooit achter gekomen. Daar had Anouk alles aan gedaan. En hij had haar helemaal vertrouwd. Een heks is die meid, een valse heks. En dan trapt hij op de rem.

Annabel, die naast hem rijdt, denkt dat er iets met Kars' fiets is en remt ook.

'Waarom sta je stil?' vraagt ze.

Kars kijkt haar aan. Wat ben je toch een supermeid, denkt hij en hij trekt haar naar zich toe. 'I love you!' En hij kust haar.

Je zou denken dat ze meteen naar Ad en Hanna hollen om het goede nieuws te vertellen, maar dat doen ze niet. Alleen oma krijgt het te horen.

Oma doet net of ze iets belangrijks moet kopen en daarvoor de raad van Ad en Hanna nodig heeft. Ze lokt de ouders van Kars en Isa mee naar het dorp.

Intussen schrijft Isa de weggelopen campinggasten, die in een file voor het kantoor staan te dringen, opnieuw in.

De ouders van Marco en Linda helpen de crew met het voorbereiden van een gigabarbecue. Iedereen vliegt heen en weer. Even denkt Kars dat ze het niet gaan redden, er moet zoveel gebeuren. Binnen een paar uur moet alles geregeld zijn. Maar als Kylian ook binnenstapt, heeft hij weer hoop. Zijn hulp kunnen ze nu wel gebruiken.

De Timboektoe-crew zou de Timboektoe-crew niet zijn als het niet was gelukt. Ad en Hanna weten niet wat ze zien als ze anderhalf uur later de camping op rijden.

Het veldje staat weer helemaal vol tenten.

'Wat is dit?' roept Hanna blij als ze uitstapt.

'Wat is er gebeurd?' vraagt Ad.

'Heel veel, pa,' zegt Kars. 'Dat vertellen we je straks wel. Kom maar mee.' En ze nemen Ad, Hanna en oma mee naar het barbecueveld. Iedereen zit om het vuur.

'Het lijkt wel tovenarij, hè?' zegt Romeo als hij de verbaasde gezichten ziet. 'Eerst waren alle gasten weg en... Daar zijn ze weer. Kylian was weg en... Daar is hij weer! En het allerbelangrijkste: Brian was weg en...' Hij wijst naar Jules en Nona, die Brian op een stretcher versierd met ballonnen en slingers het veld op dragen.

Iedereen begint te juichen. 'Mega-Brian!!!'

Brian richt zich op. Ze zwaaien naar hem met flyers. Als hij de afbeelding van de muurschildering ziet die op alle flyers staat, krijgt hij tranen in zijn ogen.

'Mega-Brian!' schalt het over de camping.

Dan wordt het Brian teveel en legt hij zijn hoofd weer neer. Het volgende moment knallen de kurken van de champagneflessen.

'Het lijkt wel een droom,' zegt Ad weer en hij slaat een arm om Hanna heen.

'Het is geen droom, pa,' zegt Kars als iedereen het glas heft. 'Wat hadden wij gezegd?' Hij kijkt al zijn vrienden aan.

'TIMBOEKTOE RULES!' roepen ze in koor.

Download gratis de ringtone Timboektoe-tune*

In *Timboektoe Rules!*, het derde deel over de populaire camping Timboektoe, componeert Romeo de hippe Timboektoe-tune. Kars, Isa, Nona, Jules, Annabel, Stef, Romeo, Edgar en Brian hebben deze ringtone op hun mobieltje.
Jij kunt deze ringtone ook downloaden op je mobiel.
Ga naar www.carryslee.nl en download gratis de Timboektoe-tune!

* tot 1 april 2006

Lees ook de andere delen over Timboektoe:

See you in Timboektoe

De ouders van Isa en Kars hebben een camping gekocht in Frankrijk, Timboektoe. Samen met hun vrienden ontwikkelen ze een serie superplannen om de camping tot een succes te maken.

€ 13,50

100% Timboektoe

Het tweede deel in de populaire serie over de camping Timboektoe. De ochtend na het succesvolle discofeest ontdekt Kars dat er geld is gestolen. Wie o wie heeft dit gedaan? En Isa's vriendje zoent met een ander...

Getipt door de Kinderjury

€ 13,50

Kappen!

ISBN 90 499 2086 1

€ 11,95

Getipt door de Kinderjury en
bekroond door de Jonge Jury

Razend

ISBN 90 499 2087 X

€ 11,95

Bekroond door de Kinderjury en
getipt door de Jonge Jury

Paniek

ISBN 90 499 2088 8

€ 11,95

Bekroond door de Jonge Jury

Radeloos

ISBN 90 499 2089 6

€ 11,95

Getipt door de Kinderjury en de Jonge Jury